中华人民共和国

新法规汇编

2008

第十辑

国务院法制办公室　编

中国法制出版社

编 辑 说 明

一、《中华人民共和国新法规汇编》是国家出版的法律、行政法规汇编正式版本，是刊登报国务院备案的部门规章的指定出版物。

二、本汇编收集的内容包括：上一个月内由全国人民代表大会及其常务委员会通过的法律和有关法律问题的决定，国务院公布的行政法规和法规性文件，报国务院备案的部门规章，最高人民法院和最高人民检察院公布的司法解释。另外，还收入了上一个月报国务院备案的地方性法规和地方政府规章目录。

三、本汇编所收的内容，按下列分类顺序编排：法律，行政法规，法规性文件，国务院部门规章，司法解释。每类中按公布的时间顺序排列。报国务院备案的地方性法规和地方政府规章目录按1987年国务院批准的行政区划顺序排列；同一行政区域报备两件以上者，按公布时间顺序排列。

四、本汇编每年出版十二辑，每月出版一辑，本辑为2008年度第十辑，收入2008年9月份内公布的行政法规2件，法规性文件4件，报国务院备案的部门规章12件，司法解释1件。补收2008年8月份内公布的行政法规1件，7月份内公布的司法解释1件。共计21件。

五、本汇编在编辑出版过程中，得到了国务院有关部门和有关方面以及广大读者的大力支持和协助，在此谨致谢意。

国务院法制办公室

二〇〇八年十月

目 录

1

司 法 解 释

附：

行 政 法 规

中华人民共和国畜禽遗传资源进出境和
对外合作研究利用审批办法

（2008 年 8 月 20 日国务院第 23 次常务会议通过　2008 年 8 月 28 日
中华人民共和国国务院令第 533 号公布　自 2008 年 10 月 1 日起施行）

第一条　为了加强对畜禽遗传资源进出境和对外合作研究利用的管理，保护和合理利用畜禽遗传资源，防止畜禽遗传资源流失，促进畜牧业持续健康发展，根据《中华人民共和国畜牧法》，制定本办法。

第二条　从境外引进畜禽遗传资源，向境外输出或者在境内与境外机构、个人合作研究利用列入畜禽遗传资源保护名录的畜禽遗传资源，应当遵守《中华人民共和国畜牧法》，并依照本办法的规定办理审批手续。

第三条　本办法所称畜禽，是指列入依照《中华人民共和国畜牧法》第十一条规定公布的畜禽遗传资源目录的畜禽。

本办法所称畜禽遗传资源，是指畜禽及其卵子(蛋)、胚胎、精液、基因物质等遗传材料。

第四条　从境外引进畜禽遗传资源，应当具备下列条件：

（一）引进的目的明确、用途合理；

（二）符合畜禽遗传资源保护和利用规划；

（三）引进的畜禽遗传资源来自非疫区；

（四）符合进出境动植物检疫和农业转基因生物安全的有关规定，不对境内畜禽遗传资源和生态环境安全构成威胁。

第五条　拟从境外引进畜禽遗传资源的单位，应当向其所在地的省、自治区、直辖市人民政府畜牧兽医行政主管部门提出申请，并提交畜禽遗传资源买卖合同或者赠与协议。

引进种用畜禽遗传资源的，还应当提交下列资料：

（一）种畜禽生产经营许可证；

（二)出口国家或者地区法定机构出具的种畜系谱或者种禽代次证明；

1

（三）首次引进的，同时提交种用畜禽遗传资源的产地、分布、培育过程、生态特征、生产性能、群体存在的主要遗传缺陷和特有疾病等资料。

第六条 向境外输出列入畜禽遗传资源保护名录的畜禽遗传资源，应当具备下列条件：

（一）用途明确；

（二）符合畜禽遗传资源保护和利用规划；

（三）不对境内畜牧业生产和畜禽产品出口构成威胁；

（四）国家共享惠益方案合理。

第七条 拟向境外输出列入畜禽遗传资源保护名录的畜禽遗传资源的单位，应当向其所在地的省、自治区、直辖市人民政府畜牧兽医行政主管部门提出申请，并提交下列资料：

（一）畜禽遗传资源买卖合同或者赠与协议；

（二）与境外进口方签订的国家共享惠益方案。

第八条 在境内与境外机构、个人合作研究利用列入畜禽遗传资源保护名录的畜禽遗传资源，应当具备下列条件：

（一）研究目的、范围和合作期限明确；

（二）符合畜禽遗传资源保护和利用规划；

（三）知识产权归属明确、研究成果共享方案合理；

（四）不对境内畜禽遗传资源和生态环境安全构成威胁；

（五）国家共享惠益方案合理。

在境内与境外机构、个人合作研究利用畜禽遗传资源的单位，应当是依法取得法人资格的中方教育科研机构、中方独资企业。

第九条 拟在境内与境外机构、个人合作研究利用列入畜禽遗传资源保护名录的畜禽遗传资源的单位，应当向其所在地的省、自治区、直辖市人民政府畜牧兽医行政主管部门提出申请，并提交下列资料：

（一）项目可行性研究报告；

（二）合作研究合同；

（三）与境外合作者签订的国家共享惠益方案。

第十条 禁止向境外输出或者在境内与境外机构、个人合作研究利用我国特有的、新发现未经鉴定的畜禽遗传资源以及国务院畜牧兽医行政主管部门禁止出口的其他畜禽遗传资源。

第十一条 省、自治区、直辖市人民政府畜牧兽医行政主管部门，应当自收到畜禽遗传资源引进、输出或者对外合作研究利用申请之日起 20 个工作日内完成审核工作，并将审核意见和申请资料报国务院畜牧兽医行政主管部门审批。

第十二条 国务院畜牧兽医行政主管部门，应当自收到畜禽遗传资源引进、输

2

出或者对外合作研究利用审核意见和申请资料之日起 20 个工作日内,对具备本办法第四条、第六条、第八条规定条件的,签发审批表;对不具备条件的,书面通知申请人,并说明理由。其中,对输出或者在境内与境外机构、个人合作研究利用列入畜禽遗传资源保护名录的畜禽遗传资源,或者首次引进畜禽遗传资源的,国务院畜牧兽医行政主管部门应当自收到审核意见和申请资料之日起 3 个工作日内,将审核意见和申请资料送国家畜禽遗传资源委员会评估或者评审。评估或者评审时间不计入审批期限。

第十三条 国务院畜牧兽医行政主管部门在 20 个工作日内不能做出审批决定的,经本部门负责人批准,可以延长 10 个工作日。延长期限的理由应当告知申请人。

第十四条 畜禽遗传资源引进、输出审批表的有效期为 6 个月;需要延续的,申请人应当在有效期届满 10 个工作日前向原审批机关申请延续。延续期不得超过 3 个月。

第十五条 从境外引进畜禽遗传资源、向境外输出列入畜禽遗传资源保护名录的畜禽遗传资源的单位,凭审批表办理检疫手续。海关凭出入境检验检疫部门出具的进出境货物通关单办理验放手续。从境外引进畜禽遗传资源、向境外输出列入畜禽遗传资源保护名录的畜禽遗传资源的单位,应当自海关放行之日起 10 个工作日内,将实际引进、输出畜禽遗传资源的数量报国务院畜牧兽医行政主管部门备案。国务院畜牧兽医行政主管部门应当定期将有关资料抄送国务院环境保护行政主管部门。

第十六条 在对外合作研究利用过程中需要更改研究目的和范围、合作期限、知识产权归属、研究成果共享方案或者国家共享惠益方案的,在境内与境外机构、个人合作研究利用列入畜禽遗传资源保护名录的畜禽遗传资源的单位,应当按照原申请程序重新办理审批手续。

第十七条 省、自治区、直辖市人民政府畜牧兽医行政主管部门应当对引进的畜禽遗传资源进行跟踪评价,组织专家对引进的畜禽遗传资源的生产性能、健康状况、适应性以及对生态环境和本地畜禽遗传资源的影响等进行测定、评估,并及时将测定、评估结果报国务院畜牧兽医行政主管部门。

发现引进的畜禽遗传资源对境内畜禽遗传资源、生态环境有危害或者可能产生危害的,国务院畜牧兽医行政主管部门应当商有关主管部门,采取相应的安全控制措施。

第十八条 在境内与境外机构、个人合作研究利用列入畜禽遗传资源保护名录的畜禽遗传资源的单位,应当于每年 12 月 31 日前,将合作研究利用畜禽遗传资源的情况报所在地的省、自治区、直辖市人民政府畜牧兽医行政主管部门。省、自治区、直辖市人民政府畜牧兽医行政主管部门应当对合作研究利用情况提出审核意见，一并报国务院畜牧兽医行政主管部门备案。

第十九条 与畜禽遗传资源引进、输出和对外合作研究利用的单位以及与境外机构或者个人有利害关系的人员，不得参与对有关申请的评估、评审以及对进境畜禽遗传资源的测定、评估工作。

第二十条 我国的畜禽遗传资源信息，包括重要的畜禽遗传家系和特定地区遗传资源及其数据、资料、样本等，未经国务院畜牧兽医行政主管部门许可，任何单位或者个人不得向境外机构和个人转让。

第二十一条 畜牧兽医行政主管部门工作人员在畜禽遗传资源引进、输出和对外合作研究利用审批过程中玩忽职守、滥用职权、徇私舞弊的，依法给予处分；构成犯罪的，依法追究刑事责任。

第二十二条 依照本办法的规定参与评估、评审、测定的专家，利用职务上的便利收取他人财物或者谋取其他利益，或者出具虚假意见的，没收违法所得，依法给予处分；构成犯罪的，依法追究刑事责任。

第二十三条 申请从境外引进畜禽遗传资源，向境外输出或者在境内与境外机构、个人合作研究利用列入畜禽遗传资源保护名录的畜禽遗传资源的单位，隐瞒有关情况或者提供虚假资料的，由省、自治区、直辖市人民政府畜牧兽医行政主管部门给予警告，3 年内不再受理该单位的同类申请。

第二十四条 以欺骗、贿赂等不正当手段取得批准从境外引进畜禽遗传资源，向境外输出或者在境内与境外机构、个人合作研究利用列入畜禽遗传资源保护名录的畜禽遗传资源的，由国务院畜牧兽医行政主管部门撤销批准决定，没收有关畜禽遗传资源和违法所得，并处以 1 万元以上 5 万元以下罚款，10 年内不再受理该单位的同类申请；构成犯罪的，依法追究刑事责任。

第二十五条 未经审核批准，从境外引进畜禽遗传资源，或者在境内与境外机构、个人合作研究利用列入畜禽遗传资源保护名录的畜禽遗传资源，或者在境内与境外机构、个人合作研究利用未经国家畜禽遗传资源委员会鉴定的新发现的畜禽遗传资源的，依照《中华人民共和国畜牧法》的有关规定追究法律责任。

第二十六条 未经审核批准，向境外输出列入畜禽遗传资源保护名录的畜禽遗传资源的，依照《中华人民共和国海关法》的有关规定追究法律责任。海关应当将扣留的畜禽遗传资源移送省、自治区、直辖市人民政府畜牧兽医行政主管部门处理。

第二十七条 向境外输出或者在境内与境外机构、个人合作研究利用列入畜禽遗传资源保护名录的畜禽遗传资源，违反国家保密规定的，依照《中华人民共和国保守国家秘密法》的有关规定追究法律责任。

第二十八条 本办法自 2008 年 10 月 1 日起施行。

国务院关于修改《外商投资电信企业管理规定》的决定

(2008年9月10日中华人民共和国国务院令第534号公布　自公布之日起施行)

为了适应我国电信行业对外开放的需要,促进我国通信业的发展,国务院决定对《外商投资电信企业管理规定》做如下修改:

一、将第四条、第六条、第八条、第十一条、第十三条、第十五条、第十七条到第二十一条中的"国务院信息产业主管部门"修改为"国务院工业和信息化主管部门"。

二、将第五条修改为:

"外商投资电信企业的注册资本应当符合下列规定:

"(一)经营全国的或者跨省、自治区、直辖市范围的基础电信业务的,其注册资本最低限额为10亿元人民币;经营增值电信业务的,其注册资本最低限额为1000万元人民币;

"(二)经营省、自治区、直辖市范围内的基础电信业务的,其注册资本最低限额为1亿元人民币;经营增值电信业务的,其注册资本最低限额为100万元人民币。"

三、将第十一条、第十四条中的"项目建议书"修改为"项目申请报告",删去第十一条、第十三条中"可行性研究报告"的表述。

四、删去第十二条。

五、删去第十四条第二款。

六、将第十五条中的"国务院计划主管部门或者国务院经济综合管理部门审批"修改为"国务院发展改革部门核准"。

七、将第十六条、第十九条、第二十条、第二十一条中的"对外经济贸易主管部门"修改为"商务主管部门"。

八、删去第二十三条。

根据以上修改,对条文的顺序做相应调整。

本决定自公布之日起施行。

《外商投资电信企业管理规定》根据本决定做相应修改,重新公布。

外商投资电信企业管理规定

(2001 年 12 月 11 日中华人民共和国国务院令第 333 号公布　根据 2008 年 9 月 10 日《国务院关于修改〈外商投资电信企业管理规定〉的决定》修订)

第一条　为了适应电信业对外开放的需要,促进电信业的发展,根据有关外商投资的法律、行政法规和《中华人民共和国电信条例》(以下简称电信条例),制定本规定。

第二条　外商投资电信企业,是指外国投资者同中国投资者在中华人民共和国境内依法以中外合资经营形式,共同投资设立的经营电信业务的企业。

第三条　外商投资电信企业从事电信业务经营活动,除必须遵守本规定外,还必须遵守电信条例和其他有关法律、行政法规的规定。

第四条　外商投资电信企业可以经营基础电信业务、增值电信业务,具体业务分类依照电信条例的规定执行。

外商投资电信企业经营业务的地域范围,由国务院工业和信息化主管部门按照有关规定确定。

第五条　外商投资电信企业的注册资本应当符合下列规定:

(一)经营全国的或者跨省、自治区、直辖市范围的基础电信业务的,其注册资本最低限额为 10 亿元人民币;经营增值电信业务的,其注册资本最低限额为 1000 万元人民币;

(二)经营省、自治区、直辖市范围内的基础电信业务的,其注册资本最低限额为 1 亿元人民币;经营增值电信业务的,其注册资本最低限额为 100 万元人民币。

第六条　经营基础电信业务(无线寻呼业务除外)的外商投资电信企业的外方投资者在企业中的出资比例,最终不得超过 49%。

经营增值电信业务(包括基础电信业务中的无线寻呼业务)的外商投资电信企业的外方投资者在企业中的出资比例,最终不得超过 50%。

外商投资电信企业的中方投资者和外方投资者在不同时期的出资比例,由国务院工业和信息化主管部门按照有关规定确定。

第七条　外商投资电信企业经营电信业务,除应当符合本规定第四条、第五条、第六条规定的条件外,还应当符合电信条例规定的经营基础电信业务或者经营增值电信业务应当具备的条件。

第八条　经营基础电信业务的外商投资电信企业的中方主要投资者应当符合下列条件:

(一)是依法设立的公司;

（二）有与从事经营活动相适应的资金和专业人员；

（三）符合国务院工业和信息化主管部门规定的审慎的和特定行业的要求。

前款所称外商投资电信企业的中方主要投资者，是指在全体中方投资者中出资数额最多且占中方全体投资者出资总额的30%以上的出资者。

第九条 经营基础电信业务的外商投资电信企业的外方主要投资者应当符合下列条件：

（一）具有企业法人资格；

（二）在注册的国家或者地区取得基础电信业务经营许可证；

（三）有与从事经营活动相适应的资金和专业人员；

（四）有从事基础电信业务的良好业绩和运营经验。

前款所称外商投资电信企业的外方主要投资者，是指在外方全体投资者中出资数额最多且占全体外方投资者出资总额的30%以上的出资者。

第十条 经营增值电信业务的外商投资电信企业的外方主要投资者应当具有经营增值电信业务的良好业绩和运营经验。

第十一条 设立经营基础电信业务或者跨省、自治区、直辖市范围增值电信业务的外商投资电信企业，由中方主要投资者向国务院工业和信息化主管部门提出申请并报送下列文件：

（一）项目申请报告；

（二）本规定第八条、第九条、第十条规定的合营各方投资者的资格证明或者有关确认文件；

（三）电信条例规定的经营基础电信业务或者增值电信业务应当具备的其他条件的证明或者确认文件。

国务院工业和信息化主管部门应当自收到申请之日起对前款规定的有关文件进行审查。属于基础电信业务的，应当在180日内审查完毕，作出批准或者不予批准的决定；属于增值电信业务的，应当在90日内审查完毕，作出批准或者不予批准的决定。予以批准的，颁发《外商投资经营电信业务审定意见书》；不予批准的，应当书面通知申请人并说明理由。

第十二条 设立外商投资电信企业经营省、自治区、直辖市范围内增值电信业务，由中方主要投资者向省、自治区、直辖市电信管理机构提出申请并报送下列文件：

（一）本规定第十条规定的资格证明或者有关确认文件；

（二）电信条例规定的经营增值电信业务应当具备的其他条件的证明或者确认文件。

省、自治区、直辖市电信管理机构应当自收到申请之日起60日内签署意见。同意的，转报国务院工业和信息化主管部门；不同意的，应当书面通知申请人并说

7

明理由。

国务院工业和信息化主管部门应当自收到省、自治区、直辖市电信管理机构签署同意的申请文件之日起30日内审查完毕,作出批准或者不予批准的决定。予以批准的,颁发《外商投资经营电信业务审定意见书》;不予批准的,应当书面通知申请人并说明理由。

第十三条　外商投资电信企业项目申请报告的主要内容包括:合营各方的名称和基本情况、拟设立企业的投资总额、注册资本、各方出资比例、申请经营的业务种类、合营期限等。

第十四条　设立外商投资电信企业,按照国家有关规定,其投资项目需要经国务院发展改革部门核准的,国务院工业和信息化主管部门应当在颁发《外商投资经营电信业务审定意见书》前,将申请材料转送国务院发展改革部门核准。转送国务院发展改革部门核准的,本规定第十一条、第十二条规定的审批期限可以延长30日。

第十五条　设立外商投资电信企业,属于经营基础电信业务或者跨省、自治区、直辖市范围增值电信业务的,由中方主要投资者凭《外商投资经营电信业务审定意见书》向国务院商务主管部门报送拟设立外商投资电信企业的合同、章程;属于经营省、自治区、直辖市范围内增值电信业务的,由中方主要投资者凭《外商投资经营电信业务审定意见书》向省、自治区、直辖市人民政府商务主管部门报送拟设立外商投资电信企业的合同、章程。

国务院商务主管部门和省、自治区、直辖市人民政府商务主管部门应当自收到报送的拟设立外商投资电信企业的合同、章程之日起90日内审查完毕,作出批准或者不予批准的决定。予以批准的,颁发《外商投资企业批准证书》;不予批准的,应当书面通知申请人并说明理由。

第十六条　外商投资电信企业的中方主要投资者凭《外商投资企业批准证书》,到国务院工业和信息化主管部门办理《电信业务经营许可证》手续。

外商投资电信企业的中方主要投资者凭《外商投资企业批准证书》和《电信业务经营许可证》,向工商行政管理机关办理外商投资电信企业注册登记手续。

第十七条　外商投资电信企业经营跨境电信业务,必须经国务院工业和信息化主管部门批准,并通过国务院工业和信息化主管部门批准设立的国际电信出入口局进行。

第十八条　违反本规定第六条规定的,由国务院工业和信息化主管部门责令限期改正,并处10万元以上50万元以下的罚款;逾期不改正的,由国务院工业和信息化主管部门吊销《电信业务经营许可证》,并由原颁发《外商投资企业批准证书》的商务主管部门撤销其《外商投资企业批准证书》。

第十九条　违反本规定第十七条规定的,由国务院工业和信息化主管部门责令限期改正，并处 20 万元以上 100 万元以下的罚款；逾期不改正的，由国务院工业和信息化主管部门吊销《电信业务经营许可证》，并由原颁发《外商投资企业批准证书》的商务主管部门撤销其《外商投资企业批准证书》。

第二十条　申请设立外商投资电信企业，提供虚假、伪造的资格证明或者确认文件骗取批准的，批准无效，由国务院工业和信息化主管部门处 20 万元以上 100 万元以下的罚款，吊销《电信业务经营许可证》，并由原颁发《外商投资企业批准证书》的商务主管部门撤销其《外商投资企业批准证书》。

第二十一条　外商投资电信企业经营电信业务，违反电信条例和其他有关法律、行政法规规定的，由有关机关依法给予处罚。

第二十二条　香港特别行政区、澳门特别行政区和台湾地区的公司、企业在内地投资经营电信业务，比照适用本规定。

第二十三条　本规定自 2002 年 1 月 1 日起施行。

中华人民共和国劳动合同法实施条例

（2008 年 9 月 3 日国务院第 25 次常务会议通过　2008 年 9 月 18 日中华人民共和国国务院令第 535 号公布　自公布之日起施行）

第一章　总　　则

第一条　为了贯彻实施《中华人民共和国劳动合同法》（以下简称劳动合同法），制定本条例。

第二条　各级人民政府和县级以上人民政府劳动行政等有关部门以及工会等组织，应当采取措施，推动劳动合同法的贯彻实施，促进劳动关系的和谐。

第三条　依法成立的会计师事务所、律师事务所等合伙组织和基金会，属于劳动合同法规定的用人单位。

第二章　劳动合同的订立

第四条　劳动合同法规定的用人单位设立的分支机构，依法取得营业执照或者登记证书的，可以作为用人单位与劳动者订立劳动合同；未依法取得营业执照或者登记证书的，受用人单位委托可以与劳动者订立劳动合同。

第五条　自用工之日起一个月内，经用人单位书面通知后，劳动者不与用人单位订立书面劳动合同的，用人单位应当书面通知劳动者终止劳动关系，无需向劳动者支付经济补偿,但是应当依法向劳动者支付其实际工作时间的劳动报酬。

第六条　用人单位自用工之日起超过一个月不满一年未与劳动者订立书面劳动合同的,应当依照劳动合同法第八十二条的规定向劳动者每月支付两倍的工资,并与劳动者补订书面劳动合同;劳动者不与用人单位订立书面劳动合同的,用人单位应当书面通知劳动者终止劳动关系,并依照劳动合同法第四十七条的规定支付经济补偿。

前款规定的用人单位向劳动者每月支付两倍工资的起算时间为用工之日起满一个月的次日,截止时间为补订书面劳动合同的前一日。

第七条　用人单位自用工之日起满一年未与劳动者订立书面劳动合同的,自用工之日起满一个月的次日至满一年的前一日应当依照劳动合同法第八十二条的规定向劳动者每月支付两倍的工资,并视为自用工之日起满一年的当日已经与劳动者订立无固定期限劳动合同,应当立即与劳动者补订书面劳动合同。

第八条　劳动合同法第七条规定的职工名册,应当包括劳动者姓名、性别、公民身份号码、户籍地址及现住址、联系方式、用工形式、用工起始时间、劳动合同期限等内容。

第九条　劳动合同法第十四条第二款规定的连续工作满10年的起始时间,应当自用人单位用工之日起计算,包括劳动合同法施行前的工作年限。

第十条　劳动者非因本人原因从原用人单位被安排到新用人单位工作的,劳动者在原用人单位的工作年限合并计算为新用人单位的工作年限。原用人单位已经向劳动者支付经济补偿的,新用人单位在依法解除、终止劳动合同计算支付经济补偿的工作年限时,不再计算劳动者在原用人单位的工作年限。

第十一条　除劳动者与用人单位协商一致的情形外,劳动者依照劳动合同法第十四条第二款的规定,提出订立无固定期限劳动合同的,用人单位应当与其订立无固定期限劳动合同。对劳动合同的内容,双方应当按照合法、公平、平等自愿、协商一致、诚实信用的原则协商确定;对协商不一致的内容,依照劳动合同法第十八条的规定执行。

第十二条　地方各级人民政府及县级以上地方人民政府有关部门为安置就业困难人员提供的给予岗位补贴和社会保险补贴的公益性岗位,其劳动合同不适用劳动合同法有关无固定期限劳动合同的规定以及支付经济补偿的规定。

第十三条　用人单位与劳动者不得在劳动合同法第四十四条规定的劳动合同终止情形之外约定其他的劳动合同终止条件。

第十四条　劳动合同履行地与用人单位注册地不一致的,有关劳动者的最低工资标准、劳动保护、劳动条件、职业危害防护和本地区上年度职工月平均工资标准等事项,按照劳动合同履行地的有关规定执行;用人单位注册地的有关标准高于劳动合同履行地的有关标准,且用人单位与劳动者约定按照用人单位注册地的有关规定执行的,从其约定。

第十五条　劳动者在试用期的工资不得低于本单位相同岗位最低档工资的80%或者不得低于劳动合同约定工资的80%,并不得低于用人单位所在地的最低工资标准。

第十六条　劳动合同法第二十二条第二款规定的培训费用,包括用人单位为了对劳动者进行专业技术培训而支付的有凭证的培训费用、培训期间的差旅费用以及因培训产生的用于该劳动者的其他直接费用。

第十七条　劳动合同期满,但是用人单位与劳动者依照劳动合同法第二十二条的规定约定的服务期尚未到期的,劳动合同应当续延至服务期满;双方另有约定的,从其约定。

第三章　劳动合同的解除和终止

第十八条　有下列情形之一的,依照劳动合同法规定的条件、程序,劳动者可以与用人单位解除固定期限劳动合同、无固定期限劳动合同或者以完成一定工作任务为期限的劳动合同:

（一）劳动者与用人单位协商一致的;

（二）劳动者提前30日以书面形式通知用人单位的;

（三）劳动者在试用期内提前3日通知用人单位的;

（四）用人单位未按照劳动合同约定提供劳动保护或者劳动条件的;

（五）用人单位未及时足额支付劳动报酬的;

（六）用人单位未依法为劳动者缴纳社会保险费的;

（七）用人单位的规章制度违反法律、法规的规定,损害劳动者权益的;

（八）用人单位以欺诈、胁迫的手段或者乘人之危,使劳动者在违背真实意思的情况下订立或者变更劳动合同的;

（九）用人单位在劳动合同中免除自己的法定责任、排除劳动者权利的;

（十）用人单位违反法律、行政法规强制性规定的;

（十一）用人单位以暴力、威胁或者非法限制人身自由的手段强迫劳动者劳动的;

（十二）用人单位违章指挥、强令冒险作业危及劳动者人身安全的;

（十三）法律、行政法规规定劳动者可以解除劳动合同的其他情形。

第十九条　有下列情形之一的,依照劳动合同法规定的条件、程序,用人单位可以与劳动者解除固定期限劳动合同、无固定期限劳动合同或者以完成一定工作任务为期限的劳动合同:

（一）用人单位与劳动者协商一致的;

（二）劳动者在试用期间被证明不符合录用条件的；

（三）劳动者严重违反用人单位的规章制度的；

（四）劳动者严重失职，营私舞弊，给用人单位造成重大损害的；

（五）劳动者同时与其他用人单位建立劳动关系，对完成本单位的工作任务造成严重影响，或者经用人单位提出，拒不改正的；

（六）劳动者以欺诈、胁迫的手段或者乘人之危，使用人单位在违背真实意思的情况下订立或者变更劳动合同的；

（七）劳动者被依法追究刑事责任的；

（八）劳动者患病或者非因工负伤，在规定的医疗期满后不能从事原工作，也不能从事由用人单位另行安排的工作的；

（九）劳动者不能胜任工作，经过培训或者调整工作岗位，仍不能胜任工作的；

（十）劳动合同订立时所依据的客观情况发生重大变化，致使劳动合同无法履行，经用人单位与劳动者协商，未能就变更劳动合同内容达成协议的；

（十一）用人单位依照企业破产法规定进行重整的；

（十二）用人单位生产经营发生严重困难的；

（十三）企业转产、重大技术革新或者经营方式调整，经变更劳动合同后，仍需裁减人员的；

（十四）其他因劳动合同订立时所依据的客观经济情况发生重大变化，致使劳动合同无法履行的。

第二十条 用人单位依照劳动合同法第四十条的规定，选择额外支付劳动者一个月工资解除劳动合同的，其额外支付的工资应当按照该劳动者上一个月的工资标准确定。

第二十一条 劳动者达到法定退休年龄的，劳动合同终止。

第二十二条 以完成一定工作任务为期限的劳动合同因任务完成而终止的，用人单位应当依照劳动合同法第四十七条的规定向劳动者支付经济补偿。

第二十三条 用人单位依法终止工伤职工的劳动合同的，除依照劳动合同法第四十七条的规定支付经济补偿外，还应当依照国家有关工伤保险的规定支付一次性工伤医疗补助金和伤残就业补助金。

第二十四条 用人单位出具的解除、终止劳动合同的证明，应当写明劳动合同期限、解除或者终止劳动合同的日期、工作岗位、在本单位的工作年限。

第二十五条 用人单位违反劳动合同法的规定解除或者终止劳动合同，依照劳动合同法第八十七条的规定支付了赔偿金的，不再支付经济补偿。赔偿金的计算年限自用工之日起计算。

第二十六条 用人单位与劳动者约定了服务期，劳动者依照劳动合同法第三十八条的规定解除劳动合同的，不属于违反服务期的约定，用人单位不得要求劳动者支付违约金。

有下列情形之一，用人单位与劳动者解除约定服务期的劳动合同的，劳动者应当按照劳动合同的约定向用人单位支付违约金：

（一）劳动者严重违反用人单位的规章制度的；

（二）劳动者严重失职，营私舞弊，给用人单位造成重大损害的；

（三）劳动者同时与其他用人单位建立劳动关系，对完成本单位的工作任务造成严重影响，或者经用人单位提出，拒不改正的；

（四）劳动者以欺诈、胁迫的手段或者乘人之危，使用人单位在违背真实意思的情况下订立或者变更劳动合同的；

（五）劳动者被依法追究刑事责任的。

第二十七条 劳动合同法第四十七条规定的经济补偿的月工资按照劳动者应得工资计算，包括计时工资或者计件工资以及奖金、津贴和补贴等货币性收入。劳动者在劳动合同解除或者终止前12个月的平均工资低于当地最低工资标准的，按照当地最低工资标准计算。劳动者工作不满12个月的，按照实际工作的月数计算平均工资。

第四章 劳务派遣特别规定

第二十八条 用人单位或者其所属单位出资或者合伙设立的劳务派遣单位，向本单位或者所属单位派遣劳动者的，属于劳动合同法第六十七条规定的不得设立的劳务派遣单位。

第二十九条 用工单位应当履行劳动合同法第六十二条规定的义务，维护被派遣劳动者的合法权益。

第三十条 劳务派遣单位不得以非全日制用工形式招用被派遣劳动者。

第三十一条 劳务派遣单位或者被派遣劳动者依法解除、终止劳动合同的经济补偿，依照劳动合同法第四十六条、第四十七条的规定执行。

第三十二条 劳务派遣单位违法解除或者终止被派遣劳动者的劳动合同的，依照劳动合同法第四十八条的规定执行。

第五章 法 律 责 任

第三十三条 用人单位违反劳动合同法有关建立职工名册规定的，由劳动行政部门责令限期改正；逾期不改正的，由劳动行政部门处2000元以上2万元以下的罚款。

第三十四条 用人单位依照劳动合同法的规定应当向劳动者每月支付两倍的

工资或者应当向劳动者支付赔偿金而未支付的,劳动行政部门应当责令用人单位支付。

第三十五条 用工单位违反劳动合同法和本条例有关劳务派遣规定的,由劳动行政部门和其他有关主管部门责令改正;情节严重的,以每位被派遣劳动者1000元以上5000元以下的标准处以罚款;给被派遣劳动者造成损害的,劳务派遣单位和用工单位承担连带赔偿责任。

第六章 附 则

第三十六条 对违反劳动合同法和本条例的行为的投诉、举报,县级以上地方人民政府劳动行政部门依照《劳动保障监察条例》的规定处理。

第三十七条 劳动者与用人单位因订立、履行、变更、解除或者终止劳动合同发生争议的,依照《中华人民共和国劳动争议调解仲裁法》的规定处理。

第三十八条 本条例自公布之日起施行。

法规性文件

国务院关于进一步促进
宁夏经济社会发展的若干意见

（2008 年 9 月 7 日　国发〔2008〕29 号）

改革开放以来,特别是实施西部大开发战略以来,宁夏经济社会发展明显加快,进入了历史上最好的发展时期。但宁夏在发展中还存在一些特殊的困难和问题。为进一步促进宁夏经济社会又好又快发展,现提出以下意见:

一、促进宁夏经济社会发展的总体要求

（一）充分认识促进宁夏经济社会发展的重要意义。宁夏是我国少数民族自治区之一,也是革命老区和集中连片贫困地区。宁夏既有煤炭、农业、旅游等方面的资源优势,又明显受到水资源短缺和生态脆弱的制约;既有宁东和河套灌区等发展基础较好的地区,又面临中部干旱带和南部山区脱贫致富的繁重任务;既有实现城乡经济社会协调发展的有利条件,又存在基础设施薄弱、市场发育程度较低、人才匮乏等突出问题。实现宁夏经济社会发展的新跨越,是深入推进西部大开发战略,促进区域协调发展的需要;是不断提高各族人民生活水平,加快全面建设小康社会步伐的需要;是落实民族区域自治制度,实现各民族共同发展、共同繁荣的需要。必须站在全局和战略的高度,进一步明确宁夏的战略定位、发展重点和重大政策措施,促进宁夏实现又好又快发展。

（二）指导思想。高举中国特色社会主义伟大旗帜,深入贯彻落实科学发展观,坚定不移地实施西部大开发战略,以更加开放的思想观念,更加执著的奋斗精神,更加扎实的工作作风,着力转变经济发展方式和开发优势资源,着力加强基础设施建设和保护生态环境,着力改善民生和提高公共服务水平,着力深化改革和发展内陆开放型经济,着力促进民族团结和社会和谐,走出一条符合宁夏实际、有特色的兴区富民发展道路,努力实现全面建设小康社会和现代化建设的宏伟目标。

（三）基本原则。坚持资源开发与生态保护相结合,切实把加强生态建设和环境保护放在更加重要的位置,注重保护耕地和节约集约用地;坚持加快发展与转变经济发展方式相结合,推进科技进步和创新,调整产业结构,走新型工业化、特色城镇化和农业现代化道路；坚持发挥自身优势与开放带动相结合，以改革促发展、以开放促开发；坚持解决当前紧迫问题与谋划长远发展相结合，统筹解决关系全局和民生的重大问题；坚持自力更生与国家支持相结合，充分发挥中央和地方两个积极性。

（四）主要目标。到2012年，人均地区生产总值、城乡居民收入水平有明显提升，基本解决城乡饮水安全问题，人均基本公共服务接近全国平均水平，单位生产总值能耗比2005年下降25%，耕地资源得到严格保护，生态环境恶化趋势得到有效遏制，和谐社会建设迈出重要步伐。到2020年，人均地区生产总值、城乡居民收入接近或达到全国平均水平，综合经济实力和自我发展能力显著增强，人均基本公共服务达到全国平均水平，单位生产总值能耗进一步显著下降，生态环境明显改善。

二、全面推进节水型社会建设

（五）统筹优化水资源配置。水资源短缺与利用效率低并存，是制约宁夏发展的最大瓶颈。要按照节约优先、立足挖潜，合理使用、优化结构，改革体制、创新机制的原则，充分发挥科技支撑作用，加快实施以保护水生态为中心的可持续发展战略。北部引黄灌区要切实加大农业节水力度，大幅度提高水资源利用效率，通过加快灌区节水改造和水权置换，保障不断增长的生活、生产、生态用水需求；中部干旱风沙区要以解决农村饮水安全为重点，加强地下水勘查，改造扬黄工程，扩大供水范围，建设集雨设施，确保饮水安全；南部黄土丘陵区要以流域为单元，开源与节流并重，加强生态保护与水源涵养，研究适度开发泾河水资源，建立大中小型工程并举、库坝窖池联用的供水体系。支持宁夏加快实施《宁夏节水型社会建设规划》，将宁夏建成全国节水型社会建设示范省区。统筹兼顾上下游、左右岸、生产生态和工农业用水需求，根据水资源、水环境的现有条件和承载能力，科学规划和确定经济社会发展目标。

（六）加强重点水利工程建设。抓紧兴建一批事关宁夏发展全局的重点水利工程。尽快批复实施青铜峡灌区、沙坡头灌区续建配套与节水改造工程。加强贺兰山东麓防洪及水资源综合利用、黄河宁夏河段防洪等重点防洪工程建设，完善重点城市防洪体系建设。加快实施中部干旱带七项农村饮水安全重点供水工程、盐环定扬黄续建工程、固扩十一泵站以上饮水安全及高效节水灌溉工程，尽快启动中部干旱带高效节水补灌工程和大型扬水泵站更新改造工程。加快中南部地区重点流域水土流失治理、病险水库除险加固、灌区节水改造、山洪灾害防治等民生水利工程建设，加强雨洪资源利用，抓紧开展固原地区城乡水源工程前期工作，合理规划和建设部分水资源调配工程。在统筹规划和科学论证的基础上，加快黄河黑山峡河段开发及大柳树水利枢纽工程建设的前期工作。

（七）深化水资源管理体制改革。按照统一配置、定额管理、建管并重、良性运行的原则,建立健全严格高效统一的水资源管理体制。逐步建立覆盖自治区、市、县三级的水权分配体系和配水、用水定额管理制度。健全水资源有偿使用制度,建立不同来源、不同用途、不同地域的水价核算体系,进一步完善水价形成机制。支持宁夏加快水权转换制度和水市场交易制度建设,在总结以往经验的基础上,规范水权转换办法,严格监督机制,实施水权转换。加快推进基层水利工程管理体制改革,完善水费征收使用管理办法,切实落实经费和管护责任,建立水利工程良性运行机制。创新农民参与的民主管理形式,充分发挥农民用水协会作用。明晰小型水利工程的产权,调动农民和社会力量参与水利建设和设施管护的积极性。

三、切实解决中南部地区的贫困问题

(八)改善基本生存条件。中南部地区干旱少雨,自然条件恶劣,贫困程度深,是宁夏最困难的地区。改善这一地区的基本生存条件,既是宁夏一项长期的战略任务,又是一项极为紧迫的民生工程。要加大扶贫攻坚力度,把解决这一地区的生存和发展问题,作为促进宁夏发展的重中之重。加快解决中南部地区城乡饮水安全问题,"十一五"期间,重点解决中南部地区75万农村人口和固原、海原、西吉等15万城镇居民的饮水安全。要按照人随水走、水随人走的思路,依托已建成或拟建的农村饮水工程、扬黄工程及节水补灌工程,积极稳妥地组织生态移民搬迁,力争在五年内基本解决同心县、海原县、盐池县、原州区、西吉县、中卫城区等六县(区)的生态移民搬迁问题。继续支持以山区危房危窑改造为主要内容的减灾安居工程,加快实施进度,扩大覆盖面。继续加强基本农田建设和保护,积极开展土地整理,增加有效耕地面积,努力实现人均一亩口粮田。积极发展沼气、太阳能等可再生能源,解决农村的生活用能问题。

(九)拓宽农民就业和增收渠道。以市场为导向,以改善民生为目标,依托土地、光热资源和补灌工程,重点发展以特色种植为主要内容的设施农业和旱作节水农业,抓紧编制相关规划,分步实施。大力实施禁牧舍饲,发展滩羊、肉牛等特色养殖业。结合集雨水窖,鼓励发展庭院经济。以马铃薯、中药材、草畜等特色农产品开发为重点,培育农业产业化基地和龙头加工企业。大力支持固原肉牛、马铃薯等农产品专业批发市场建设。促进南部山区红色旅游和生态旅游业加快发展。大力发展劳务经济,加大新型农民培训工程、农村劳动力技能就业计划、阳光工程实施力度,扩大劳务输出和就业空间。鼓励在银川等条件较好地区的职业学校、高中面向中南部地区定向招生,扩大招生规模。

(十)加大政策扶持力度。中南部地区困难特殊,需要国家和自治区给予特殊支持,加强规划指导,落实项目和资金。加大扶贫开发的投入力度,延长"三西"(甘肃河西、定西和宁夏西海固)资金使用期限。国家加大对生态移民、节水灌溉、设施农业等项目的支持力度。对中央安排中南部八县一区的城乡基础设施、水利、生态环保、社会事业、基层政权建设等公益性建设项目,逐步减少或免除县及县以

下配套资金,自治区也要按照统筹城乡发展的要求,加大资金投入。切实做好海原县政府驻地迁移的科学论证和规划工作,国家适当提高补助标准,确保当地社会稳定。完善和创新对口支援方式,加大对口帮扶力度,鼓励东部发达省市和有条件的企业,定点帮扶宁夏山区八县和红寺堡开发区。

四、促进农业稳定发展

(十一)强化农业基础地位。加大基本农田建设保护力度,稳定播种面积,粮食综合生产能力稳定在300万吨以上。转变生产方式,大力发展现代农业,加快建设北部引黄灌区现代农业示范区、中部干旱带旱作节水农业示范区、南部黄土丘陵区生态农业示范区。北部灌区在稳定粮食生产的基础上,重点抓好枸杞、牛羊肉、奶牛、设施蔬菜、酿酒葡萄等优势特色产业;中部干旱带重点发展滩羊和抗旱性强的特色农产品;南部山区重点发展草食畜牧业和马铃薯产业。实施品牌战略,形成特色农业优势产业带。加快引进、选育和推广耐旱作物与抗旱品种,继续实施好种子工程、畜禽良种工程、农牧业科技入户工程等,支持饲草料基地、加工机械、棚圈等配套设施建设。积极开展基层农牧业技术推广和综合服务试点。支持农畜产品质量标准及监测体系、动植物防疫体系、农产品市场体系、农业科技服务体系、农村服务信息体系和农机社会化服务体系建设。充分发挥宁夏农垦对现代农业的引领和示范作用,促进其加快发展。

(十二)大力发展特色农产品加工业。充分发挥特色农产品资源优势,鼓励支持国内外有实力的大企业、大集团嫁接和改造区内企业,重点培育一批技术装备先进、核心竞争力强的企业集团,形成若干具有当地特色和资源优势的产业集群。巩固提升优势特色农产品生产加工基地,大力发展生物发酵抗生素及其他化学原料药。加快调整现有羊绒产业产品结构,提高加工深度和附加值。支持农业产业化经营,扶持农产品流通企业、农民专业合作组织等产业化经营的关键环节,鼓励龙头企业与农民建立紧密的利益联系。

(十三)加强农村基础设施建设。加强基本农田整理和农田水利设施建设,大力实施土地整理、农业综合开发、北部中低产田和低洼盐碱地改造、特色经济林产业带等重大项目,提高农业生产效益和抗御自然灾害的能力。中央财政加大对小型农田水利和中小河流治理的支持力度。继续加大农村饮水、道路、供电、沼气、信息等公共基础设施建设力度,把基础设施向农村延伸。加快塞上农民新居、旧村整治改造等工程建设。启动实施西北生态与现代农业省域示范区规划的相关项目。

(十四)深化农村金融改革。加快推进农村金融改革,着重解决县域以下金融网点少、农业保险滞后、农村金融服务水平低的问题。尽快组建宁夏黄河农村商业银行,进一步理顺农村信用社管理体制,支持办好邮政储蓄银行,引导邮政储蓄资金回流农村,积极开展村镇银行、贷款公司和农村资金互助社试点,建立健全农民小额信用贷款和农户联保贷款制度。进一步加大对"三农"的信贷投入,增加支农再贷款额度,适时完善扶贫贴息贷款管理,提高扶贫资金使用效率。加快农村担保体系建设,支持建立农业贷款风险基金,组建扶持"三农"的信用担保机构,探索解决农村抵押担保难问题。积极支持开展设施农业、特色种植业、养殖业等农业保险,扩大农业和农村保险覆盖面。

五、促进工业结构优化升级

(十五)高水平建设好宁东能源化工基地。将宁东基地列为国家重点开发区,抓紧按程序批复实施《宁东能源化工基地开发总体规划》和相关项目。适应市场需求,高起点、高水平地把宁东建设成为国家重要的大型煤炭基地、煤化工产业基地、"西电东送"火电基地,实现资源优势向经济优势转变,促进形成新的经济增长点。优化资源开发利用模式,加强节水节地节能工作,建成循环经济示范区。建设一批大型煤矿,加大对煤层气产业化生产的支持力度。积极支持建设大型火电基地,发展大型空冷机组。支持西北地区西电东送工程建设,规划建设宁东至山东直流输电线路,实现黄河上游水电与宁东煤电打捆外送。按照国家相关产业政策支持煤化工产业。发展风能、太阳能等可再生能源。对利用荒山、荒沟、荒滩等国有土地建设的工业项目,适当调整土地出让价最低标准。

(十六)促进传统产业升级改造和资源型城市可持续发展。加快重点城市的产业结构优化升级,推动沿黄城市带建设,提高工业化和城镇化水平。按照国家产业政策,以节能降耗和环境保护为前提,促使铁合金、电石和焦炭等行业朝技术先进和合理规模方向发展。重视资源节约和综合利用,认真实施矿产资源规划。鼓励用高新技术和先进适用技术改造提升冶金、有色、化工、建材、轻纺、机械等传统产业,提高企业技术装备水平和产品竞争力。提升电解铝、医药、石油炼制等优势产业的技术装备水平。做好资源型城市可持续发展工作,支持加快建立资源开发补偿机制和衰退产业援助机制,实施采煤沉陷区治理工程,加大矿山地质环境恢复治理和生态环境保护力度,培育壮大接续替代产业,着力解决就业等社会问题。

(十七)积极发展装备制造业和高新技术产业。做优做强数控机床、自动化仪表、煤矿综采设备、大型铸件、精密轴承等先进装备制造业。支持钽铌铍稀有金属、碳基材料、镁及镁合金、光伏材料等新材料生产企业开发新产品、延长产业链,将宁夏建成世界重要的钽铌铍、碳基材料制品生产研发基地和国内重要的镁硅及其深加工产品基地。支持宁夏建立和完善以企业为主体、市场为导向、产学研相结合的技术创新体系。支持中小企业科技孵化基地和科技资源技术产权交易场所建设。支持宁夏科技示范园建设和银川经济技术开发区申请国家级高新技术产业开发区。

六、加快发展综合交通运输体系和现代服务业

(十八)加强综合交通运输体系建设。扩大对外运输通道能力,完善综合交通运输体系,强化宁东能源化工基地交通基础设施。在国家高速公路网内项目基本完成的基础上,推进国道211线灵武至甜水堡公路及其联络线古窑子至青铜峡高速公路等地方高速公路及跨黄河桥梁等项目建设。加快太中银铁路建设,"十一五"期间开工建设包兰铁路复线工程。加快实施银川火车站的改扩建工程。适时增开银川河东机场的国际国内航线,合理安排航班时间。尽快建设固原、中卫两个支线机场。

(十九)完善现代物流体系。支持银川市经济技术开发区陆港物流中心和宁夏空港物流项目建设,形成立体式现代化综合物流体系。建成启用石嘴山市惠农陆路口岸,发展以生产资料为重点的物流配送体系。围绕重要工业园区开展第三方物流配送。继续实施"双百市场"工程建设,支持枸杞、马铃薯、牛羊肉、蔬菜水果、羊绒等自治区级批发市场和优势特色农产品交易市场基础设施建设。依托"万村千乡市场工程"农家店,发展农村连锁经营、物流配送等现代流通方式,构建农村市场流通服务网络。

(二十)加快发展旅游和金融等服务业。依托独特的自然风光和人文景观资源,加强与周边地区的旅游合作,大力发展沙漠旅游、生态旅游、红色旅游和乡村旅游。重点支持沙坡头、沙湖、六盘山、贺兰山等重点旅游景区基础设施建设,建成西部独具特色的旅游目的地。积极引导国内外金融机构,特别是政策性银行和股份制银行在宁夏设立分支机构。扩大办理民族用品生产贷款的金融机构范围。积极支持符合条件的企业发行企业债券和上市融资。国家服务业引导资金要适当向宁夏特色项目倾斜。支持宁夏举办国际性贸易投资博览会,打造宁夏对外全面开放的综合平台。

七、推进生态建设和环境保护

(二十一)突出抓好防沙治沙工作。遵循科学、综合、依法的方针,全力抓好防沙治沙工作。支持将宁夏建设成全国防沙治沙综合示范区,构筑西部重要的生态安全屏障。重点推广中卫沙坡头、灵武白笈滩成功的治沙模式和经验,加快毛乌素沙地、腾格里沙漠东南缘沙化土地综合治理。坚持保护优先,巩固防沙治沙成果,继续实施草原全面禁牧封育,完善退牧还草政策。保护和合理利用沙区资源,发展沙区循环经济,重点支持毛乌素沙地整治与沙产业开发、中部干旱带红枣经济林、贺兰山东麓生态保护和建设等项目。

(二十二)扎实推进生态建设。结合全国主体功能区规划的实施,支持大六盘生态经济圈建设,以小流域为单元开展山水田林路综合治理。加快实施泾河、葫芦河、祖厉河流域重点治理工程和清水河流域水土流失综合防治工程。改革传统耕作方法,发展保护性耕作。继续实施三北防护林、天然林保护、湿地保护与恢复等重点工程,加大对国家级自然保护区投入和管理能力建设,落实退耕还林后续配套政策。完善森林生态补偿机制,逐步扩大补偿范围。研究建立草原、矿产资源开发和流域水环境保护的生态补偿机制。

（二十三）加强环境综合防治。进一步加强城市污水处理及配套管网、城市垃圾处理等环保基础设施建设，逐步提高城市污水处理、垃圾处理收费标准。加强农村环境保护，继续支持农村小康环保行动计划试点。支持燃煤电厂脱硫、热电联产、城市集中供热、造纸企业碱回收、淀粉企业废水治理等重点减排工程和重点城市大气污染防治工程建设。加强环境监管能力和监管体系建设，完善重大建设项目环境影响评价制度。

八、加快社会事业发展

（二十四）优先发展教育和人才事业。巩固"两基"成果，提高农村中小学办学水平。在中西部地区农村初中校舍改造和新农村卫生新校园建设、农村义务教育阶段学校教师特设岗位计划等方面，加大对宁夏的支持力度。巩固义务教育成果，推广宁夏清理化解农村义务教育"普九"债务经验。进一步加强职业教育基础能力建设。以中等职业教育发展为重点，扩大高中阶段教育规模，着力改善职业教育办学条件，建成一批符合经济社会发展需要的职业学校，积极开展东西联合办学。支持办好宁夏大学和一批当地产业发展急需的重点学科，提高教育质量和创新能力。适当扩大外地高校和职业学校在宁夏招生规模，在民族预科班、民族班、高层次骨干人才、高技能人才培养计划等方面给予倾斜。支持出台留住本地人才的政策办法，大力实施人才引进工程，加强留学人员创业园建设，加大人力资源市场建设，增强自主创新能力和智力强区水平。

（二十五）完善城乡医疗卫生服务体系。加强县、乡、村三级医疗卫生服务体系建设，努力解决农村公共卫生和农民看病就医难问题。加强医疗卫生基础设施建设，改善城市社区卫生设施条件差、乡镇卫生服务机构不健全的状况。加大中医院建设力度，扶持包括回族医药在内的中医药事业发展。继续加强妇幼保健设施建设，提高妇幼卫生服务能力。加强重大疫病防治，做好地方病、慢性病、职业病及重大传染病防治工作。加强医学教育及人才培养，继续开展城乡医院对口支援，实施鼓励大中专院校毕业生定期到基层工作制度，落实基层医疗卫生技术人员待遇。

（二十六）全面做好人口和计划生育工作。实施计划生育家庭特别扶助制度，逐步提高农村部分计划生育家庭奖励扶助制度奖励标准，适当扩大"少生快富"工程范围。开展建立长效节育措施奖励制度试点。加强基层计划生育服务体系和人口综合管理信息网络建设，强化人员培训。加大生殖健康和计划生育宣传力度，倡导科学生育观。开展出生缺陷干预，提高出生人口素质。

（二十七）进一步完善就业和社会保障制度。加大城乡劳动力就业技能培训力度，支持并规范发展就业中介服务，建立覆盖城乡的公共就业服务平台，引导农村劳动力有序转移。完善就业困难群体就业援助制度，帮助零就业家庭解决就业困难。加快建立覆盖城乡居民的社会保障体系。建立企业离退休人员基本养老金正常调整机制。完善新型农村合作医疗制度，逐步提高补助标准，加快推进城镇居民基本医疗保险试点,进一步扩大城镇职工基本医疗保险覆盖面。支持解决关闭、破产国有企业历史遗留的社会保障问题。探索建立新型农村养老保险制度。完善城乡居民最低生活保障、农村五保、城乡医疗救助等社会救助制度。加大防灾减灾、灾民救助、老龄事业和社会福利等公共服务体系建设支持力度。把抗震减灾作为一项重大任务,用五年时间全部消除农村危房危窑,适当提高新建的各类校舍抗震设防标准。结合公共设施建设,在县城以上城市设立紧急避难所,做好防灾减灾的演练和物资储备。

(二十八)促进文化体育事业发展。加大公共文化设施建设投入,加快建立城乡均衡的公共文化服务体系运行保障机制。大力推进"村村通"广播电视、农村电影放映、乡镇和社区综合文化站、文化信息资源共享、农家书屋等公共文化服务工程建设,丰富农村文化生活。结合传统民族节庆,开展多种形式的群众性文化活动。支持创作推出一批具有宁夏特色的优秀文化产品。实施文化遗产保护工程,支持须弥山石窟等申报世界文化遗产。支持城市社区和基层农村体育设施建设,扶持发展传统民族体育。

九、做好各项政策措施的落实工作

(二十九)加强统筹协调。国务院各有关部门要按照本意见精神,明确职责,抓紧制定细化方案和政策,加强统筹协调,将政策措施落到实处。要指导宁夏编制相关重要规划和重大建设项目实施方案,保障专项规划与全国规划相衔接,做好重大项目的前期工作。中央财政转移支付和中央预算内投资,都要加大对宁夏的支持力度。在政策实施过程中,有关部门要加强调查研究和督促检查,及时总结经验,帮助宁夏解决发展中的困难和问题。中央国家机关、企事业单位和沿海经济发达地区,要加大对宁夏的对口帮扶力度,形成制度化、规范化的援助机制。宁夏回族自治区要认真组织好政策的学习、宣传和贯彻落实工作。

(三十)巩固和加强民族团结。坚持把各民族共同团结奋斗、共同繁荣发展作为当前民族工作的主题,巩固和发展平等、团结、互助、和谐的社会主义新型民族关系。高度重视民族宗教事务工作,全面贯彻党的民族政策和宗教政策,教育广大干部群众牢固树立"汉族离不开少数民族,少数民族离不开汉族,各少数民族之间也相互离不开"的思想观念。尊重信教群众的宗教信仰,提高依法管理宗教事务的水平。高度重视和妥善解决新形势下的民族矛盾,切实尊重和保障少数民族的合法权益,突出解决好少数民族群众最关心、最直接、最现实的利益问题。继续坚持和完善民族区域自治制度,落实促进民族经济发展的各项政策,大力培养少数民族干部和各类专业人才,促进宁夏经济、政治、文化、社会全面进步。

(三十一)深化改革开放。推进体制创新和扩大开放是促进宁夏经济社会发展的根本动力和有力保障。要坚持社会主义市场经济改革方向,加大改革力度,充分发挥市场在配置资源中的基础性作用,在重点领域和关键环节的改革上取得突破。

22

在继续深化国有企业改革的同时，大力破除体制障碍，推进公平准入，鼓励、支持和引导个体、私营等非公有制经济发展，努力形成各种所有制经济平等竞争、相互促进的新格局。大力推进行政管理体制改革，切实转变政府职能，提高工作效率。全面提升对内对外开放水平，大力改善投资环境，加强国内外、区内外经济技术合作，主动承接国际和东部地区产业转移，构筑内陆开放型经济的新格局。

进一步促进宁夏经济社会又好又快发展，是一项长期而艰巨的任务。国务院各有关部门和宁夏回族自治区要认真学习贯彻党的十七大精神，切实落实科学发展观，齐心协力，锐意进取，奋发图强，艰苦奋斗，努力把宁夏经济社会发展推向新的阶段。

国务院关于进一步推进长江三角洲地区改革开放和经济社会发展的指导意见

(2008 年 9 月 7 日　国发〔2008〕30 号)

各省、自治区、直辖市人民政府，国务院各部委、各直属机构：

长江三角洲地区是我国综合实力最强的区域，在社会主义现代化建设全局中具有重要的战略地位和带动作用。改革开放特别是推进上海浦东开发开放以来，长江三角洲地区经济社会发展取得巨大成就，对服务全国大局，带动周边发展做出了重要贡献，积累了丰富经验。在当前国际经济环境发生重大变化、国内各项改革深入推进的新形势下，为进一步推进长江三角洲地区改革开放和经济社会发展，现提出以下意见：

一、进一步推进长江三角洲地区改革开放和经济社会发展的重要意义、总体要求、主要原则和发展目标

（一）重要意义。长江三角洲地区包括上海市、江苏省和浙江省。进一步推进长江三角洲地区改革开放和经济社会发展，有利于推进区域经济一体化，提高自主创新能力和整体经济素质；有利于增强对中西部地区的辐射带动作用，推动全国区域协调发展；有利于提高开放型经济水平，增强我国国际竞争力和抗风险能力；有利于推进体制创新，促进建立健全充满活力、富有效率、更加开放的体制机制。

（二）总体要求。高举中国特色社会主义伟大旗帜，以邓小平理论和"三个代表"重要思想为指导，深入贯彻落实科学发展观，进一步解放思想、与时俱进，进一步深化改革、扩大开放，着力推进经济结构战略性调整，着力增强自主创新能力，着力促进城乡区域协调发展，着力提高资源节约和环境保护水平，着力促进社会和谐与精神文明建设，实现科学发展、和谐发展、率先发展、一体化发展，把长江三角洲

地区建设成为亚太地区重要的国际门户、全球重要的先进制造业基地、具有较强国际竞争力的世界级城市群，为我国全面建设小康社会和实现现代化做出更大贡献。

（三）主要原则。坚持科学发展，努力提高自主创新能力，切实加强资源节约和环境保护，推进经济发展方式的转变；坚持和谐发展，着力保障和改善民生，加强社会主义民主法制建设，维护社会公平正义；坚持率先发展，加强与周边地区和长江中上游地区的联合与协作，强化服务和辐射功能，带动中西部地区发展；坚持一体化发展，统筹区域内基础设施建设，形成统一开放的市场体系，促进生产要素合理流动和优化配置；坚持改革开放，继续在体制创新上先行先试，率先在重要领域和关键环节取得突破，为又好又快发展提供制度保障。

（四）发展目标。到2012年，产业结构进一步优化，服务业比重明显提高；创新能力显著增强，科技进步对经济增长的贡献率大幅提升；区域分工和产业布局趋于合理，对外开放的质量和水平明显提升；单位地区生产总值能耗低于全国平均水平，重点地区生态环境恶化的趋势得到遏制；社会保障体系覆盖城乡，公共服务能力进一步增强，基本实现全面建设小康社会的目标。

到2020年，形成以服务业为主的产业结构，三次产业协调发展；在重要领域科技创新接近或达到世界先进水平，对经济发展的引领和支撑作用明显增强；区域内部发展更加协调，形成分工合理、各具特色的空间格局；主要污染物排放总量得到有效控制，单位地区生产总值能耗接近或达到世界先进水平，形成人与自然和谐相处的生态环境；社会保障水平进一步提高，实现基本公共服务均等化。再用更长一段时间，率先基本实现现代化。

二、加快发展现代服务业，努力形成以服务业为主的产业结构

（五）优先发展面向生产的服务业。加快以上海国际航运中心和国际金融中心为主的现代服务业发展。进一步整合港口资源，加强港口基础设施、集疏运体系建设，加快发展现代航运服务体系，努力提高管理水平和综合服务能力，尽快建成以上海为中心、以江苏和浙江港口为两翼的上海国际航运中心。依托区域综合交通网络，大力推进现代物流业发展。积极探索金融机构、金融产品和服务方式等多种金融创新，健全多层次金融市场体系，引进和培育高层次金融人才，大力改善金融业发展环境，提高金融服务业发展水平。扶持和培育技术创新型第三方服务企业，大力发展科技服务业。运用信息技术和现代经营方式改造提升传统商贸业，加快现代商贸业发展步伐。整合建立区域内综合性的软件服务公共技术平台和公共信息应用平台，培育创新型特色化的软件服务和信息服务企业，积极发展增值电信业务、软件服务、计算机信息系统集成和互联网产业。

（六）积极发展面向民生的服务业。大力发展旅游业，进一步拓展市场、整合资源，建设世界一流水平的旅游目的地体系。加快发展广播影视、新闻出版、邮政、电信、文化、体育和休闲娱乐等服务业。积极扶持电子书刊、网络出版、数字图书馆、网络游戏、电影特技制作、数字艺术设计、数字媒体、虚拟展示等新兴数字创意产业发展。

（七）大力改善服务业发展环境。加快建设区域服务业联动机制，开展多方面的交流与协作。研究建立区域现代服务业标准规范体系，加强面向现代服务业技术、产品与服务的认证机制建设。加快建立市场化运作的企业和个人信用服务体系，制定行业标准，完善监管制度。大力开展现代服务业人才培训与职业教育，多层次培养现代服务业复合型人才。

三、全面推进工业结构优化升级，努力建设国际先进制造业基地

（八）做大做强高技术产业和优势支柱产业。继续巩固和提高实体经济发展水平，集中力量积极发展电子信息、生物、新材料、新能源等战略性高技术产业，培育更多新的增长点。进一步做大做强石化、钢铁、汽车、船舶及先进装备制造等优势支柱产业，加快形成核心关键技术和提升规模水平。大力发展总部经济和研发、设计、营销中心，促进产业链条向高端延伸。加快淘汰落后生产能力，积极推动传统产业的升级改造和梯度转移。大力培育建设与全球先进制造业基地相适应的优秀经营管理人才和高级技工队伍。

（九）进一步优化空间布局。以沪宁、沪杭甬沿线为重点发展具有先导效应、发展潜力大的电子信息、生物、新材料和先进装备制造等产业；在沿江、沿海、杭州湾沿线优化发展产业链长、带动性强的石化、钢铁、汽车、船舶等产业。促进企业向产业带集中、向园区集聚，引导关联企业集聚发展。加快连云港、温州等发展潜力较大地区的发展，形成新的经济增长点，带动江苏沿海、东陇海沿线、浙江温台沿海、金衢丽高速公路沿线发展。

（十）进一步提升企业竞争力。鼓励和支持优质资本、优势企业跨行政区并购和重组。在电子信息、石化、钢铁、汽车、船舶、装备制造、轻纺、商贸、旅游等重点领域和优势行业，加快培育形成一批拥有自主知识产权的世界级品牌、具有国际竞争力的大企业，形成以大企业为龙头，中小企业专业化配套的协作体系，提升产业整体素质，增强竞争能力。

四、统筹城乡发展，扎实推进社会主义新农村建设

（十一）大力发展现代农业。着力发展高附加值的特色农业、设施农业、生态农业、观光农业、都市农业和现代养殖业。支持创建名优品牌。充分发挥江苏沿海等地区滩涂资源丰富的优势，建立现代农业示范区，积极发展规模化高效农业。稳定发展粮食生产，积极推进大型优质商品粮基地建设。依托沿江靠海的优势，发展现代渔业。积极改造和提升传统农业，大力提高农业机械化水平和土地集约利用水平。加强优势农产品产业带和规模化养殖基地建设。大力支持农业产业化经营和标准化生产，培育一批带动能力强的龙头企业。鼓励扩大农产品出口，进一步做大做强外向型农业。

（十二）加快完善农业生产、经营、流通等服务体系。加快培育生产性的专业服务组织，构建新型农业服务体系。大力发展农村现代物流，在农村培育一批大型流通企业。积极培育、发展农民专业合作社和农业行业协会、学会等各类组织，加快农业信息服务网络建设。改善农村金融服务，发展农村信用担保和农村小额贷款，加快建立农业保险体系。

（十三）全面深化农村改革。坚持农村基本经营制度，稳定和完善土地承包关系，按照依法、自愿、有偿的原则，健全土地承包经营权流转市场，有条件的地方可以适度发展多种形式的规模经营。深化集体林权制度改革。探索集体经济有效实现形式。加快农村投融资体制改革，合理划分各级政府的财政投入职责，加大政府对农业和农村的投入，引导各类资本进入农业社会化服务体系和合理开发未利用农业资源。建立健全多层次、广覆盖、可持续的农村金融体系，不断完善对"三农"的金融服务。扎实推进农村综合改革，强化乡镇政府的社会管理和公共服务职能，逐步建立起精干高效的农村基层行政管理体制。建立健全村民自治机制，完善村民一事一议制度，积极推进奖补措施，推广民主恳谈会、村民议事会等有效的民主形式。

（十四）稳步推进城乡一体化进程。统筹城乡基础设施建设，推动城市基础设施、公共服务和现代文明向农村延伸。进一步做好村庄规划，节约农村建设用地。加强城市饮用水安全保障工作，加快实施农村饮水安全工程建设和中小河流及湖泊河网水环境整治，推进农村节能减排，加强城乡绿化美化一体化建设。统筹城乡社会事业发展，逐步实现城乡基本公共服务均等化。全面落实被征地农民基本生活保障制度，确保做到即征即保，探索建立农村养老保险制度，积极做好城乡社会保障制度的统筹衔接。提高农村最低生活保障水平，逐步实行城乡统一的低保制度。统筹城乡劳动就业，逐步建立城乡统一的人力资源市场和公平竞争的就业制度。

五、大力推进自主创新，加速建成创新型区域

（十五）构建具有国际竞争力的区域创新体系。抓紧编制自主创新规划，加快构建技术创新体系。引导创新要素向企业集聚，支持有条件的企业建立技术研发机构和创办海外研发机构，鼓励有条件的企业与高校、科研院所建立技术创新战略联盟。整合自主研发力量，建设一批一流的研究型大学、科研机构和创新型企业，加强国家重点实验室、工程技术（研究）中心、国家重大科学工程的建设，建设开放共享的科技基础条件平台和产业共性技术研发试验平台。构建区域创新网络，建立和完善技术转移转化的公共服务平台和中介服务机构，重点办好若干区域性重点科技园区。实行科技资质互认制度。

（十六）实现关键领域和核心技术的创新突破。重点推进电子信息、生物、先进

26

制造、新能源、新材料、航天航空等领域的自主创新,加强区域联合协作,共同攻克产业核心技术、共性关键技术,组织开展新技术开发和推广示范。充分发挥高新技术产业园区在产业集聚和创新载体方面的作用,协同推进原始创新、集成创新和引进消化吸收再创新。支持区域联合承担国家重大科技专项。

(十七)营造鼓励自主创新的政策环境。加大财政对竞争前技术和共性技术研发、引进技术消化吸收再创新、初创型科技中小企业的引导性投入。抓好企业研发费用税前抵扣和高新技术企业优惠政策的贯彻落实。进一步改善创新创业投融资环境,鼓励发展创业风险投资和私募股权投资,支持区域内国家级开发区中高新技术企业进入股权代办转让系统,鼓励发展金融租赁业,积极发展小企业信用担保体系。推动形成市场化、专业化的创新服务体系。加大知识产权保护力度,加强知识产权的集成、运营和管理。

(十八)加强创新型人才的培养和引进。调整完善高等教育的学科布局和专业设置。鼓励企业依托高等院校、职业院校和科研机构,建立区域高新技术和高层次应用型人才、高技能人才培养基地。加强国际合作交流,发展和完善多种形式的科技创新人才国际化培养模式。加大人才引进力度,重点引进高层次人才、高科技人才以及经济社会发展需要的紧缺人才。

六、走新型城市化道路,培育具有较强国际竞争力的世界级城市群

(十九)构建完备的城镇体系。加快建设以特大城市和大城市为主体,中小城市和小城镇合理发展的网络化城镇体系。发展基础较好、已初步形成城市带的各个城市,要进一步密切相互间的经济、技术、文化联系,促进要素流动和功能整合,发挥同城效应。苏北、浙西南等开发强度相对不高、发展潜力较大的地区,要大力引导产业、人口有序集聚,形成新的城镇发展带。

(二十)完善和提升各类城市功能。继续发挥上海的龙头作用,加快建成国际经济、金融、贸易和航运中心,进一步增强创新能力和高端服务功能,率先形成以服务业为主的经济结构,成为具有国际影响力和竞争力的世界城市。进一步提升南京、杭州等特大城市的综合承载能力和服务功能,扩大辐射半径。其他大城市要按照自身优势,形成特色,提升功能。中小城市和小城镇要进一步增强实力,完善服务功能。

(二十一)提高城乡规划和建设管理水平。合理规划城市规模,优化城镇建设布局。严格控制新增建设用地规模,促进城镇集约紧凑发展。统筹规划建设城镇供排水、供电、通信、垃圾处理和覆盖城乡的区域性防洪排涝、供水、治污工程等重大基础设施。加强城镇防灾减灾和应急管理能力建设。统筹新区开发与旧城保护,切实维护城镇历史文化风貌。

七、积极推进重大基础设施一体化建设,增强区域发展的支撑能力

(二十二)完善综合交通运输体系。铁路要以客运专线和城际轨道交通建设为重点,加快区域对外通道、区域内省际通道、城际快速通道以及跨长江通道、重要枢纽客运设施等建设,优化路网结构,提高路网质量。公路要以加强关键工程和断头路段建设为重点,加快国家高速公路网建设,加强区域对外通道、区域内省际通道、重要的城际快速通道、跨海湾和跨长江通道及重要疏港高速公路建设。抓紧编制实施沿海港口发展总体规划,加强港口群协调发展。提高长江"黄金水道"、京杭运河等高等级航道通航标准,完善集装箱运输系统、外贸大宗散货海进江中转运输系统、江海物资转运系统和客运系统。积极推进空域管理和使用方式改革,科学利用空域资源,加强航空枢纽与配套支线机场建设。

(二十三)构建区域能源安全体系。进一步优化能源结构,鼓励发展可再生能源和清洁能源。加快石油、天然气基础设施建设,共同推进石油和液化天然气码头建设,完善油气输送管道网络,加强油气战略储备,加快建设区域石油流通枢纽和交易中心,研究建立区域天然气交易中心。改善煤炭运输条件,研究规划建设大型储煤基地。优化电力基础设施建设与布局,重点在沿海、沿江地带布置电源点,加快西电东送、北电南送和皖电东送输变电线路等的规划和建设,建设过江电缆通道。加快核电的规划和建设,进一步做好江苏沿海等地区的风电项目规划建设。

(二十四)改善水利基础设施。按照水资源和水环境承载能力,统筹协调区域水利基础设施建设,构筑防洪减灾体系、水资源合理配置和高效利用体系、饮用水安全保障体系以及水生态环境保护体系。加快实施太湖流域第二轮治理、长江口综合整治、淮河治理和沿海防浪堤及防护林等重点工程建设,加强城市防洪排涝能力建设,继续实施病险水库除险加固,加强蓄滞洪区建设和管理,加强低洼易涝地区和山洪灾害易发区综合治理。加快水源工程等水资源调蓄和配置工程建设,继续加强重点地区、重点城市河湖治理和水生态修复工程建设。加快水文、水资源和水环境实时监控系统建设。加强水资源统一管理,完善流域综合管理体制。

(二十五)改进和健全信息基础设施。统筹规划,加快推进区域信息一体化,统一数据标准,完善信息资源共建共享机制。完善信息网络基础设施,不断提高网络性能和技术水平,务实推进"三网"(电信网、广播电视网、计算机网)融合,组织推进光纤接入等高速接入技术的试点,促进传统电信网向宽带综合信息服务网络发展,强化网络信息安全与应急保障基础设施建设。加快区域空间信息基础设施建设,提高地理空间信息社会化应用与共享程度。推进综合性网络应用工程、公益性信息服务工程、企业信息化等重点应用项目建设。促进高速公路电子收费系统、交通信息联网、危急抢险信息联网建设。

八、推进资源节约型和环境友好型社会建设,全面提高可持续发展能力

(二十六)提高土地节约和集约利用水平。坚决实行最严格的土地管理制度,严格执行土地利用总体规划和土地利用年度计划,切实保护耕地和基本农田,加强土地资源需求调控,实行更严格的区域土地供应政策和市场准入标准,制定并实行合理的新建项目土地使用率标准,严格控制新增建设用地。加强对存量建设用地的调整和改造,加大对闲置土地行为的处罚力度,积极盘活闲置和空闲土地。积极开展土地复垦,大力加强农村土地整理,适度开发宜耕后备资源。加强围海造地的管理和调控,合理有序开发利用滩涂资源。

(二十七)全面推进节能降耗。加强区域产业政策和环保政策的衔接,完善节能减排地方性法规。对新建、改建、扩建等涉及新增能力的项目,率先实行国际先进水平的能耗、物耗、水耗等标准。突出抓好高耗能行业和重点耗能企业的节能降耗工作,全面实施节能降耗重点工程,着力推进节能降耗科技进步。到2010年全部淘汰国家产业政策明令禁止的落后生产能力。着力抓好高耗水行业的节水改造和水的循环利用,加强工业、农业和城市节水,全面推进节水型社会建设。大力推动发展节能省地环保型建筑,推进政府办公建筑及大型公共建筑节能运行与改造,新建筑严格实施节能强制性标准。大力发展资源再生和环保产业。大力发展循环经济,实现清洁发展。落实节能降耗目标责任制。

(二十八)强化环境保护和生态建设。加强区域生态环境的共同建设、共同保护和共同治理。落实《太湖流域水环境综合治理总体方案》和《淮河流域水污染防治规划》,加强杭州湾、长江沿岸、长江口和近海海域污染综合治理和生态保护。实行更严格的环境保护标准。完善区域污染联防机制,推进区域环境保护基础设施共建、信息共享和污染综合整治。加快规划和建设城乡污水处理和生活垃圾处理设施,强化对已建成污染治理设施的运行监管。治理农村面源污染,加大畜禽养殖污染防治力度。加大江河湖库饮用水源地建设,加强饮用水水源地保护,确保饮用水安全。坚决关停达不到污染物排放标准的企业,治理工业污染,大幅减少燃煤电厂二氧化硫和汽车尾气排放,控制高架源氮氧化物的排放。加大水土流失综合防治力度,加强水土保持清洁型、生态型小流域综合治理。严格执行开发建设项目"三同时"(建设项目环保设施与主体工程同时设计、同时施工、同时投产使用)和水土保持方案报告制度。加强林业生态建设,增强涵养水源等能力。强化地下水资源保护,遏制地下水超采,建立区域联动机制,防治地面沉降,保护地质环境。建立海洋重大污染事件通报和海区关闭制度。健全环境违法行为联合惩处机制,加强联合执法检查,完善跨界污染防治的协调和处理机制。披露环境信息,建立健全社会公众参与和监督机制。落实污染减排考核和责任追究制度,实行环境保护一票否决和问责制。研究推进排污权交易和建立生态环境补偿机制。

九、加强文化建设和社会事业建设,促进经济社会协调发展

(二十九)切实加强社会文化建设。运用生动活泼、寓教于乐的形式,广泛开展社会主义核心价值体系宣传普及活动,大力弘扬爱国主义、集体主义、社会主义思想,为和谐社会建设注入精神动力。切实加强社会公德、职业道德、家庭美德和个

人品德建设，形成文明健康的社会风尚。建立区域文化联动发展协作机制，制定区域文化发展规划。不断深化文化体制改革，着力推进文化创新，加快文化产业基地和区域性特色文化产业群建设。建立完善覆盖城乡的公共文化服务体系，重视城乡区域文化协调发展，着力丰富农村、相对落后地区和进城务工人员的精神文化生活。加强网络文化建设与管理，营造良好网络环境。加强中华优秀文化传统教育，认真做好文物和非物质文化遗产保护，不断扩大对外文化交流。

（三十）着力推进社会事业发展。整合区域社会事业资源，强化教育、卫生、体育等领域的合作与交流。推进义务教育实现"双高普九"，率先基本实现教育现代化，基本普及包括学前教育、义务教育和高中阶段教育在内的15年教育，全面提高高等教育质量，显著提升高校科技创新与服务能力。大力发展职业教育，加快建立完善的区域职业教育培训体系。建立更加完善的现代国民教育体系和终身教育体系，加快学习型社会建设。着力构建覆盖城乡的公共卫生服务体系、医疗服务体系、医疗保障体系、药品供应保障体系。建立健全区域内疾病预防控制、卫生监督、突发公共卫生事件应急处理协调机制和联防联控网络。积极发展体育产业，加快构建全民健身服务体系。

（三十一）加快完善就业和社会保障体系。制定统一规范的劳动用工制度，完善转移就业的政策制度，建立区域人力资源市场。逐步完善就业服务、社会保障服务、信息服务和劳动维权等人力资源市场管理体系。鼓励自谋职业和自主创业。加快建立覆盖城乡居民的社会保障体系，继续完善城镇企业职工基本养老保险制度，加快实现省级统筹，积极推行农村养老保险制度，切实做好被征地农民就业培训和社会保障工作。完善城镇职工基本医疗保险制度，推进城镇居民基本医疗保险制度试点和新型农村合作医疗制度建设。完善失业保险制度，扩大工伤和生育保险覆盖面。鼓励发展补充性保险。加快社会保障服务中心建设，随着经济发展适当提高社会保障标准。规范灾民救助制度和农村五保供养制度，健全教育救助、医疗救助、住房救助、司法救助等专项救助制度，率先建立较为完善、覆盖城乡的社会救助体系。发展适度普惠型社会福利事业，扩大社会福利覆盖范围。大力培育各类慈善组织。率先建立更加科学合理的收入分配调节机制和宏观监测机制，努力缩小城乡、地区和居民间的收入差距。

（三十二）加强外来人口服务和管理。改革区域户籍制度，逐步实行以居住证为主的属地化管理制度。保障外来务工人员子女的同等受教育机会。完善和落实国家有关农民工的政策，切实维护农民工的合法权益。在国家统一规划指导下，建立社会保险关系跨统筹区转移制度和信息网络，完善参保人员社会保险关系转移、衔接的政策措施。建立健全区域内流动人口管理与服务协调机制。健全流浪乞讨人员救助管理制度。

十、着力推进改革攻坚，率先建立完善的社会主义市场经济体制

（三十三）大力推进行政管理体制改革。切实转变政府职能，全面实现政企分开、政资分开、政事分开以及政府与中介组织分开，进一步强化社会管理和公共服务职能，加快构建责任政府和服务政府。创新政府管理模式，减少和规范行政审批，积极利用市场机制和法律法规进行管理，必不可少的行政审批尽可能采取核准和备案方式。深化机构改革，优化政府管理层次，加强社会管理机构，完善经济调节机构，合并职能相同或相近的政府部门，规范各种类型的办事机构，减少行政层级，提高运行效率。

（三十四）继续推进非公有制经济发展和国有企业改革。推进公平准入，改善融资条件，优化政策环境，促进非公有制经济发展，支持有条件的中小企业做大做强。开展相关试点工作，探索、引导和推动个体、私营企业制度创新，优化产业结构，提高自主创新能力，实现科学发展。加强和改进对非公有制企业的服务和监管，切实维护企业和职工合法权益。加快国有大型企业和国有垄断企业公司制股份制改革和战略并购重组，鼓励发展具有国际竞争力的大企业集团。运用多种有效方式，推动国有资本、民营资本和外资经济的融合，积极发展混合所有制经济。平等保护各类产权，推动形成各种所有制经济平等竞争、相互促进的新格局。

（三十五）加快市场化进程。建立统一开放的产品、技术、产权、资本、人力资源等各类市场，实现生产要素合理流动和资源优化配置。进一步整顿和规范市场秩序，以信贷、纳税、合同履约等信用记录为重点，建立区域社会信用平台与体系，构建经济、金融信息共享平台。实施统一的准入标准和技术标准，建立区域市场准入和质量互认制度。抓紧清理和修订阻碍要素合理流动的法规和政策，逐步统一企业创业和经营的地方性法规。完善财税管理体制。建立科技、人力资源共享和联动机制以及人力资源的合理流动机制，建立信息资源的开放共享机制，建立知识产权的协调保护机制。

（三十六）着力构建规范透明的法制环境。进一步清理、修订、完善现有政策和各类法规，建立稳定、规范和可预见的政策环境以及与国际通行做法相适应的法制环境，加快建立与国际接轨的法律规则。大力推进依法行政，加强政府法制建设。加快推进政务公开，建立公开、透明的行政体制和问责机制，实行投诉制、评估制、公示制和监察制，建立完善的监管制度。加强区域立法工作的合作与协调，形成区域相对统一的法制环境。

（三十七）继续推进重大改革试验。深化上海浦东综合配套改革试点，推广相对成熟、行之有效的改革政策。对具备一定人口规模和经济实力的中心镇赋予必要的城市管理权限。在国家批准的范围内，实行城镇建设用地增加和农村建设用地减少挂钩的改革试点，在严格执行土地用途管制的基础上，促进农村集体建设用地依法流转。积极探索互利共赢的财政政策，有序推动异地联合兴办开发区。深化金融改革，扩大金融改革试点。推动外汇管理改革创新，优化企业跨区域外汇业务规程,支持中外资金融机构提供多样化的外汇服务。推进地方中小金融机构和农村金融机构改制、重组和上市。

十一、健全开放型经济体系,全面提升对外开放水平

(三十八)加快转变外贸增长方式。进一步优化进出口结构,鼓励高附加值产品、服务产品出口,大力支持自主品牌和自主知识产权产品出口。鼓励能源、原材料、先进技术装备、关键零部件进口。率先实现加工贸易转型升级,严格执行加工贸易禁止类和限制类产品目录,推动加工贸易由代加工逐步向代设计、自主品牌转变,推动加工贸易梯度转移。率先推行符合国际惯例的质量、安全、环保、技术、劳工等标准,强化企业社会责任。加快推进海关特殊监管区域整合,推进大通关建设。

(三十九)着力提高利用外资质量。统筹协调对外开放政策,完善涉外经济管理体制。继续积极有效利用外资,更加注重引进先进技术、管理经验和智力资源。创新外商投资管理方式,试行对外商投资企业合同、章程的格式化审批。进一步优化外资结构,引导外资投向高新技术产业、基础设施领域和高端制造环节。大力承接国际服务外包。积极拓展利用外资方式,规范和引导外国投资者以多种方式参与国有企业改组改造以及向上市公司战略投资。在有条件的地方,扩大离岸金融试点。规范招商引资行为,实行相对统一的土地、税收政策,营造公平、开放的投资环境。

(四十)加快企业"走出去"步伐。鼓励各类有条件的企业开展对外投资与合作,在海外建立生产加工基地、营销网络和研发中心,在境外投资、海关通关、人员出入境、税收等方面予以支持。加大对企业境外重点开发项目的支持力度。鼓励对外工程承包,简化境外工程承包相关物资出口的退税审批手续,简化对境外工程承包相关设备出境的外汇管理。鼓励国内商业银行进一步扩展海外网点和业务,为企业境外并购融资。选择有条件的企业开展国际贸易人民币结算试点。

十二、加强组织协调,全面落实各项任务

(四十一)加强统筹协调。推进长江三角洲地区改革开放和经济社会发展是一项系统工程,各有关方面要认真贯彻落实本指导意见提出的各项目标和任务。两省一市要根据本指导意见的要求,研究制订切实可行的实施方案,落实各项工作任务;要深入实际调查研究,及时总结经验,扎实推进,重大问题要及时向国务院报告。由国家发展和改革委员会牵头,抓紧编制《长江三角洲地区区域规划》,并做好与相关规划的衔接协调、组织实施和各项政策措施落实的督促检查工作。国务院各有关部门要加快职能转变,增强服务意识,根据本指导意见研究提出本部门支持和推进长江三角洲地区改革开放和经济社会发展的具体措施。

(四十二)完善合作机制。要积极探索新形势下管理区域经济的新模式,坚持政府引导、多方参与,以市场为基础、以企业为主体,进一步完善合作机制,着力加强基础设施建设、产业分工与布局、生态建设与环境保护等方面的联合与协作。积极推进泛长江三角洲区域合作，要进一步加强与中西部地区经济协作和技术、人才合作，带动和帮助中西部地区发展。积极推进与港澳台的经济联系与合作。

实现长江三角洲地区又好又快发展，事关国家改革开放和现代化建设大局。两省一市和国务院各有关部门要加强合作，团结奋斗，真抓实干，创造性地开展工作，努力促进长江三角洲地区在高起点上争创新优势、实现新跨越。

国务院办公厅关于
废止食品质量免检制度的通知

(2008 年 9 月 18 日 国办发〔2008〕110 号)

为了保证食品质量安全，维护人民群众身体健康，国务院决定废止 1999 年 12 月 5 日发布的《国务院关于进一步加强产品质量工作若干问题的决定》（国发〔1999〕24 号）中有关食品质量免检制度的内容。

各地区、各部门一定要切实加强领导，狠抓落实，严格履行职责，按照有关食品质量安全的法律、法规加强对食品质量安全的检验和监督检查，确保食品质量安全。

国务院关于印发汶川地震
灾后恢复重建总体规划的通知

(2008 年 9 月 19 日 国发〔2008〕31 号)

《汶川地震灾后恢复重建总体规划》已经国务院同意，现印发给你们，请认真贯彻执行。

汶川地震灾后恢复重建关系到灾区群众的切身利益和灾区的长远发展，必须全面贯彻落实科学发展观，坚持以人为本、尊重自然、统筹兼顾、科学重建。各地区、各有关部门要充分认识恢复重建任务的艰巨性、复杂性和紧迫性，树立全局意识，切实加强组织领导，全面做好恢复重建的各项工作。

汶川地震灾后恢复重建总体规划

编制依据：

《中华人民共和国防震减灾法》

《汶川地震灾后恢复重建条例》（国务院令第 526 号）

《国务院关于做好汶川地震灾后恢复重建工作的指导意见》（国发〔2008〕22号）

编制单位：

国务院抗震救灾总指挥部灾后重建规划组

组长单位：国家发展和改革委员会

副组长单位：四川省人民政府、住房和城乡建设部

成员单位：陕西省人民政府、甘肃省人民政府、教育部、科学技术部、工业和信息化部、国家民族事务委员会、公安部、民政部、财政部、人力资源和社会保障部、国土资源部、环境保护部、交通运输部、铁道部、水利部、农业部、商务部、文化部、卫生部、国家人口和计划生育委员会、中国人民银行、国务院国有资产监督管理委员会、国家税务总局、国家广播电影电视总局、国家新闻出版总署、国家体育总局、国家林业局、国家旅游局、中国科学院、中国工程院、中国地震局、中国气象局、中国银行业监督管理委员会、中国证券监督管理委员会、中国保险监督管理委员会、国家电力监管委员会、国家能源局、国家文物局、国家食品药品监督管理局、国务院扶贫开发领导小组办公室

支持单位：

国家汶川地震专家委员会、国家测绘局

谨以本规划

向汶川特大地震中不幸遇难的同胞致以深切悼念

向自强不息重建家园的广大灾区人民致以崇高敬意

向所有关心支持抗震救灾和恢复重建的人们致以真挚感谢

目　录

前　言

2008年5月12日14时28分,汶川发生里氏8.0级特大地震,数万同胞在灾害中不幸遇难,数百万家庭失去世代生活的家园,数十年辛勤劳动积累的财富毁于一旦。面对突如其来的巨大灾难,在党中央、国务院和中央军委的坚强领导下,全党全军全国各族人民众志成城,灾区广大干部群众奋起自救,国内各界和国际社会积极施援,经过顽强努力,抗震救灾斗争在抢救人员、安置受灾群众等方面取得重大阶段性胜利。

汶川地震灾后恢复重建是一项十分艰巨的工作。面对受灾面积广大、受灾人口众多、自然条件复杂、基础设施损毁严重的困难局面,灾后恢复重建任务异常繁重,工作充满挑战。灾后恢复重建关系到灾区群众的切身利益和长远发展,必须全面贯彻落实科学发展观,坚持以人为本,尊重自然,统筹兼顾,科学重建。充分依靠灾区广大干部群众,弘扬中华民族自力更生、艰苦奋斗的优秀品质。充分发挥社会主义制度的政治优势,举全国之力,有效利用各种资源。通过精心规划、精心组织、精心实施,重建物质家园和精神家园,使灾区人民在恢复重建中赢得新的发展机遇,与全国人民一道全面建设小康社会。

为有力、有序、有效地做好灾后恢复重建工作,尽快恢复灾区正常的经济社会秩序,重建美好家园,夺取抗震救灾斗争的全面胜利,特制订本规划。

第一章　重建基础

第一节　灾区概况

汶川地震波及四川、甘肃、陕西、重庆、云南等10省(区、市)的417个县(市、区),总面积约50万平方公里。本规划的规划范围为四川、甘肃、陕西3省处于极重灾区和重灾区的51个县(市、区)①,总面积132596平方公里,乡镇1271个,行政村14565个,2007年末总人口1986.7万人,地区生产总值2418亿元,城镇居民人均可支配收入和农村居民人均纯收入分别为13050元、3533元。

---

①　极重灾区和重灾区的范围,根据民政部等部门《汶川地震灾害范围评估结果》确定。

专栏 1　规划范围		
所在省	县（市、区）	个数
四川	汶川县、北川县、绵竹市、什邡市、青川县、茂县、安县、都江堰市、平武县、彭州市、理县、江油市、广元市利州区、广元市朝天区、旺苍县、梓潼县、绵阳市游仙区、德阳市旌阳区、小金县、绵阳市涪城区、罗江县、黑水县、崇州市、剑阁县、三台县、阆中市、盐亭县、松潘县、苍溪县、芦山县、中江县、广元市元坝区、大邑县、宝兴县、南江县、广汉市、汉源县、石棉县、九寨沟县	39
甘肃	文县、陇南市武都区、康县、成县、徽县、西和县、两当县、舟曲县	8
陕西	宁强县、略阳县、勉县、宝鸡市陈仓区	4

　　规划区的主体区域地处青藏高原向四川盆地过渡地带，以龙门山山脉为界，西部与东部的地质地貌差别明显，经济社会发展水平差异较大，总体上具有以下特点：

　　——地形地貌复杂，平原、丘陵、高原、高山均有分布，部分地区相对高差悬殊，气候垂直变化明显，属典型高山峡谷地形。

　　——自然灾害频发，高山高原地区地震断裂带纵横交错，发生地震灾害的几率较高；滑坡、崩塌、泥石流等地质灾害隐患点分布多、范围广、威胁大。

　　——生态环境脆弱，山高沟深，高山地区耕地零碎、土层瘠薄、水土流失严重。

　　——生态功能重要，高山高原地区的动植物资源丰富，生态系统类型多样，属于长江上游生态屏障重要组成部分和我国珍稀濒危野生动物重要栖息地。

　　——资源比较富集，世界文化自然遗产和自然保护区比较集中，旅游资源丰富，水能、有色金属和非金属矿等资源蕴藏较多。

　　——经济基础薄弱，平原地区工业化程度相对较高，高山高原地区经济规模较小，产业结构单一，贫困人口集中。

　　——少数民族聚居，有我国唯一的羌族聚居区，是主要的藏族聚居区之一，多元文化并存，历史人文资源独特。

第二节　灾　害　损　失

　　汶川地震是新中国成立以来破坏性最强、波及范围最广、灾害损失最大的一次地震灾害。震级达到里氏 8.0 级，最大烈度达到 11 度，并带来滑坡、崩塌、泥石流、堰塞湖等严重次生灾害。

　　——人员伤亡惨重，截至 2008 年 8 月 25 日，遇难 69226 人，受伤 374643 人，失踪 17923 人。

——城乡居民住房大量损毁,北川县城、汶川县映秀镇等部分城镇和大量村庄几乎被夷为平地。

——基础设施严重损毁,交通、电力、通信、供水、供气等系统大面积瘫痪。

——学校、医院等公共服务设施严重损毁,大量文化自然遗产遭到严重破坏。

——产业发展受到严重影响,耕地大面积损毁,主要产业、众多企业遭受重创。

——生态环境遭到严重破坏,森林大片损毁,野生动物栖息地丧失与破碎,生态功能退化。

第三节　面临挑战

——生态环境恶化,植被、水体、土壤等自然环境被破坏,次生灾害隐患增多,余震频繁,导致生存发展条件变差。

——资源环境承载能力下降,人均耕地减少,耕地质量下降,保障农民收入稳定增长难度极大。

——部分地区可供建设的空间狭小,不少地方失去基本生存条件,异地新建城镇、村庄选址及其人员安置难度很大。

——企业损毁严重,就业压力大,而许多地区并不具备通过就地发展工业解决就业问题的基本条件。

——不少灾区群众成为无宅基地、无耕地、无就业的人员,加之灾害造成的恐惧心理,医治灾区群众心理创伤需要较长过程。

——物质文化遗产和非物质文化遗产载体大量损毁,保护和传承羌族文化更加紧迫。

——依法解决灾区群众当前急迫问题与保持区域长远可持续发展面临十分复杂的矛盾和情况。

第四节　有利条件

——科学发展观的指导思想,以人为本的执政理念,为科学重建新家园提供了思想保障。

——灾区广大干部群众自力更生、艰苦奋斗的精神,自强不息、互助自救和寻求发展的积极性、主动性,是重建新家园的不竭动力。

——改革开放以来我国积累的强大物质基础和良好市场环境,为恢复重建提供了经济、技术基础和体制环境。

——各地区的支援,全社会的支持,国际社会的援助,是恢复重建的重要力量。

——国内外地震灾后恢复重建的经验教训,为科学重建新家园提供了有益借鉴。

第二章 总体要求

第一节 指导思想

深入贯彻落实科学发展观，坚持以人为本、尊重自然、统筹兼顾、科学重建。优先恢复灾区群众的基本生活条件和公共服务设施，尽快恢复生产条件，合理调整城镇乡村、基础设施和生产力的布局，逐步恢复生态环境。坚持自力更生、艰苦奋斗，以灾区各级政府为主导、广大干部群众为主体，在国家、各地区和社会各界的大力支持下，精心规划、精心组织、精心实施，又好又快地重建家园。

第二节 基本原则

——以人为本，民生优先。要把保障民生作为恢复重建的基本出发点，把修复重建城乡居民住房摆在突出和优先的位置，尽快恢复公共服务设施和基础设施，积极扩大就业，增加居民收入，切实保护灾区群众的合法权益。

——尊重自然，科学布局。要根据资源环境承载能力，考虑灾害和潜在灾害威胁，科学确定不同区域的主体功能，优化城乡布局、人口分布、产业结构和生产力布局，促进人与自然和谐。

——统筹兼顾，协调发展。要着眼长远，适应未来发展提高需要适度超前考虑，并与实施西部大开发战略、推进新型工业化、城镇化、新农村建设相结合，注重科技创新，推动结构调整和发展方式转变，努力提高灾区自我发展能力。加大对少数民族地区和贫困地区的扶持力度，增进民族团结。

——创新机制，协作共建。要坚持市场化改革方向，解放思想、开拓创新，正确区分政府职责与市场作用。充分发挥灾区广大干部群众的积极性、主动性和创造性，自力更生、艰苦奋斗。充分发挥对口支援的重要作用，建立政府、企业、社会组织和个人共同参与、责任明确、公开透明、监督有力、多渠道投资的重建机制。

——安全第一，保证质量。要严格执行抗震设防要求，提高学校、医院等人员密集的公共服务设施抗震设防标准。城乡居民点和重建项目选址，要避开重大灾害隐患点。严格执行国家建设标准及技术规范，严把设计、施工、材料质量关，做到监控有力，确保重建工程质量。

——厉行节约，保护耕地。要坚持按标准进行恢复重建，不超标准，不盲目攀比，不铺张浪费。尽量维修加固原有建筑和设施，尽量统建共用设施和用房。规划建设城镇、村庄和产业集聚区，要体现资源节约、环境友好的要求。坚持节约和集约利用土地，严格保护耕地和林地。

——传承文化，保护生态。要保护和传承优秀的民族传统文化，保护具有历史价值和少数民族特色的建筑物、构筑物和历史建筑,保持城镇和乡村传统风貌。避开自然保护区、历史文化古迹、水源保护地以及震后形成的有保留价值的新景观。同步规划建设环保设施。

——因地制宜,分步实施。要从当地实际情况出发进行恢复重建,充分考虑经济、社会、文化、自然和民族等各方面因素,合理确定重建方式、优先领域和建设时序。要统筹安排、保证重点、兼顾一般,有计划、分步骤地推进恢复重建。

第三节　重建目标

用三年左右时间完成恢复重建的主要任务,基本生活条件和经济社会发展水平达到或超过灾前水平,努力建设安居乐业、生态文明、安全和谐的新家园,为经济社会可持续发展奠定坚实基础。

——家家有房住,基本完成城镇和农村居民点恢复重建,灾区群众住上安全、经济、实用、省地的住房。

——户户有就业,有劳动人口的家庭至少有一人能稳定就业,城镇居民人均可支配收入和农村居民人均纯收入超过灾前水平。

——人人有保障,灾区群众普遍享有基本生活保障,享有义务教育、公共卫生和基本医疗、公共文化体育、社会福利等基本公共服务。

——设施有提高,交通、通信、能源、水利等基础设施的功能全面恢复,保障能力达到或超过灾前水平。

——经济有发展,特色优势产业发展壮大,产业结构和空间布局优化,科学发展能力增强。

——生态有改善,生态功能逐步修复,环境质量提高,防灾减灾能力明显增强。

第三章　空间布局

第一节　重建分区

根据资源环境承载能力综合评价,按照国土开发强度、产业发展方向以及人口集聚和城镇建设的适宜程度,将规划区国土空间划分为适宜重建、适度重建、生态重建三种类型①。

---

① 重建分区的范围和面积根据中国科学院《资源环境承载能力评价报告》确定。

	专栏2	重建分区①			
类型	面积 （平方公里）	占规划区比重 （％）	人口（万人）	占规划区比重 （％）	
适宜重建区	10077	7.6	772.8	38.9	
适度重建区	38320	28.9	1180.1	59.4	
生态重建区	84199	63.5	33.8	1.7	

一、适宜重建区

——主要指资源环境承载能力较强，灾害风险较小，适宜在原地重建县城、乡镇，可以较大规模集聚人口，并全面发展各类产业的区域。

——主要分布于四川的龙门山山前平原和与龙门山山脉接壤的浅丘地区，甘肃的渭河泾河河谷地带和徽成盆地，陕西的汉中盆地边缘和关中平原过渡地带，以及其他零散分布的少数地块。

——功能定位为推进工业化城镇化，集聚人口和经济，建成振兴经济、承载产业和创造就业的区域。四川、甘肃、陕西各自的适宜重建区要分别成为成（都）德（阳）绵（阳）经济区、天水经济区、关中经济区的重要组成部分。

二、适度重建区

——主要指资源环境承载能力较弱、灾害风险较大，在控制规模前提下可以适度在原地重建县城、乡镇，适度聚集人口和发展特定产业的区域。

——主要分布于四川的龙门山山后高原地区和山中峡谷地带，甘肃的西秦岭山区，陕西的秦巴山区，以及其他应当控制开发强度的区域。

——功能定位为保护优先、适度开发、点状发展，建成人口规模适度、生态环境良好、产业特色鲜明的区域。

三、生态重建区

——主要指资源环境承载能力很低，灾害风险很大，生态功能重要，建设用地严重匮乏，交通等基础设施建设维护代价极大，不适宜在原地重建城镇并较大规模集聚人口的区域。

——主要分布于四川龙门山地震断裂带核心区域和高山地区，甘肃库马和龙门山断裂带，陕西勉略洋断裂带，以及各级各类保护区等。

——功能定位为以保护和修复生态为主，建成保护自然文化资源和珍贵动植物资源、少量人口分散居住的区域。

---

① 该专栏中各重建分区的数据、面积是按自然分布实际量算的结果，人口是按乡镇统计数据加工的结果。

41

第二节　城乡布局

——位于适宜重建区的城镇应原地恢复重建,其中条件较好的,与经济发展和吸纳人口规模相适应,可适当扩大用地规模。村庄应就地恢复重建,并相对集中布局。

——位于适度重建区的城镇应以原地重建为主,其中不宜发展工业的,应调整功能;发展空间有限的,应缩减规模。村庄应以就地重建为主,有条件的可适度相对集中。

——位于生态重建区且受到极重破坏、通过工程措施无法原地恢复重建的城镇,应异地新建。通过工程措施可以避让灾害风险的村庄,可在控制规模的前提下就地重建;灾害风险大或耕地灭失而且无法恢复的村庄,应异地新建。

——规划区的县城(城区)可以分为重点扩大规模重建、适度扩大规模重建、原地调整功能重建、原地缩减规模重建和异地新建等类型。

——就地重建县城(城区)的重建类型,由灾区省级人民政府决定。需要异地新建县城和市级行政中心异地迁建的选址,应从灾区实际出发,综合考虑地质地理条件、经济社会发展和干部群众意愿等各方面因素,由灾区省级人民政府提出建议报国务院审定。

——乡镇的重建类型,由灾区省级人民政府决定。村庄的重建类型,由灾区市级或县级人民政府决定。

第三节　产业布局

——适宜重建区应根据自身特点发展相关产业,延伸产业链,增强配套能力,逐步形成优势产业带和产业基地。

——适度重建区应重点发展以旅游、生态农业为主的特色产业,建设精品旅游区,适度开发优势矿产资源。严格控制工业园区的规模,撤并或迁建不具备恢复重建条件的工业园区。

——生态重建区应在不影响主体功能的前提下,适度发展旅游业和农林牧业,严格限制其他产业发展,原则上不得在原地恢复重建工业企业。

第四节　人口安置

——受灾群众安置总的原则是,主要在规划区内就地就近安置,不搞大规模外迁。人口安置的对象主要是耕地和宅基地因灾严重损毁、无法在原村民小组范围内生产生活的农村人口。

——坚持就地就近分散安置为主,尊重本人意愿,按就地原址、村内跨组、乡镇内跨村、县内跨乡镇、市(州)内跨县、省内跨市的顺序在本行政区域内安置,并实行农业安置与务工安置相结合。

——少数民族人口的安置,应尊重其生产生活习俗,原则上在本民族聚居区安置。

——适宜重建区在本区域内就地就近安置受灾人口,并适当吸纳生态重建区需要异地安置的受灾人口。适度重建区原则上在本区域内就地就近安置受灾人口。生态重建区的少量受灾人口先考虑在县域内安置,无法安置的可以跨行政区安置。

——在政府有序组织和政策引导下,遵循市场规律,对少量自愿通过投亲靠友、自主转移等方式到其他地区安家落户的灾区群众,尊重其自主选择。

——鼓励规划区长期在外地务工经商的农村人口及其家庭成员,转移到就业地安家落户,就业地应当在就业、居住、教育、医疗、社会保障等方面给予当地居民的同等待遇。

第五节　用　地　安　排

——坚持节约集约用地,保护耕地特别是基本农田,各类重建项目都要尽量不占用或少占用农用地,充分利用原有建设用地和废弃地、空旷地。

——统筹安排原地重建与异地新建用地,合理安排各重建任务建设用地的规模、结构、布局和时序。

——适度扩大位于适宜重建区的城镇特别是接纳人口较多城镇的建设用地规模。控制适度重建区和生态重建区的城镇建设用地,结合工业园区撤并和企业外迁,适度压缩工矿用地和农村居民点用地,恢复并逐步扩大生态用地。

专栏3　恢复重建新增用地①				单位:公顷
类别	合计	四川	甘肃	陕西
城镇建设用地	23190	19200	1910	2080
农村居民点用地	11000	9500	726	774
独立工矿用地	6246	4000	762	1484
基础设施用地	16367	14600	1212	555
其他建设用地	590	500	—	90
合计	57393	47800	4610	4983

---

① 该专栏数据为各项建设新占用土地数。

——优先保证异地新建城镇、村庄的建设用地,以及重点重建任务、项目的新增用地。

——增加循环经济产业集聚区的用地,适度扩大少数国家级和省级开发区的用地。

第四章 城乡住房

城乡住房的恢复重建,要针对城乡居民住房建设和消费的不同特点,制定相应的政府补助支持政策。对经修复可确保安全的住房,要尽快查验鉴定,抓紧维修加固,一般不要推倒重建;对需要重建的住房,要科学选址、集约用地,合理确定并严格执行抗震设防标准,尽快组织实施。

第一节 农村居民住房

——农村居民住房的恢复重建,要与新农村建设相结合,充分尊重农民意愿,实行农户自建、政府补助、对口支援、社会帮扶相结合。

——改进建筑结构,提高建筑质量,符合抗震设防要求,满足现代生活需要,体现地方特色和民族传统风貌,节约用地,保护生态。

——灾区各级人民政府要组织规划设计力量,为农村居民免费提供多样化的住房设计样式和施工技术指导。

专栏4 农村居民住房

项 目		合计	四川	甘肃	陕西
加固	户数(万户)	168.36	144.38	11.88	12.10
新建	户数(万户)	218.87	191.17	22.98	4.72
	间数(万间)	656.61	573.51	68.93	14.17

第二节 城镇居民住房

——城镇居民住房的恢复重建,要按照政府引导、市场运作、政策支持的原则,依据城镇总体规划和近期建设规划,实行维修加固、原址重建和异址新建相结合。

——对一般损坏的住房要进行加固,对倒塌和严重破坏的住房进行新建。

——做好与现行城镇住房供应体系的衔接,重点组织好廉租住房和经济适用住房建设,合理安排普通商品住房建设。中央直属机关企事业单位职工的住房,纳入所在地城镇居民住房重建规划。

——恢复并完善原址重建居住区的配套设施,异址新建住房原则上应按居住小区或居住组团配套建设公共服务设施、基础设施、商贸网点和公共绿地等。

专栏5 城镇居民住房

	项　目	合计	四川	甘肃	陕西
加固	面积(万平方米)	4712.99	4437.03	220.06	55.90
新建	套数(万套)	72.03	68.71	2.85	0.47
	面积(万平方米)	5489.29	5290.97	170.12	28.20

第五章　城镇建设

　　城镇的恢复重建,要按照恢复完善功能、统筹安排的要求,优化城镇空间布局,增强防灾能力,改善人居环境,为城镇可持续发展奠定基础。

第一节　市政公用设施

　　——原地重建城镇应以修复原有设施为主,结合未来发展需要适当提高水平;异地新建城镇要根据功能定位、人口规模、建设标准和技术规范,合理配置市政公用设施。

　　——优先恢复城镇道路、桥梁和公共交通系统,统筹考虑生产生活需要和应急救灾需要,改善路网结构。道路的恢复重建要与供排水、电力、供气供热、通信、广电、消防等市政管线统一规划,一并实施。

　　——保障饮用水安全,满足长远需要,修复重建水源地、水厂和供水管网。城镇原则上应设置独立供水系统,供水压力能满足需要的,可以几个城镇共用供水系统,并向周边村庄延伸。

　　——根据资源情况,统筹考虑城镇能源结构,推广使用清洁环保能源。以现有城镇供气系统为基础,恢复重建配气站和供气管网。具备供气供热条件的,在恢复重建中要统一规划建设供气供热设施。

　　——恢复重建受损污水处理厂和污水管网。没有污水处理设施的城镇,应在恢复重建其他市政设施时同步规划建设污水管网。污水较易汇集的城镇,可共用污水处理系统;县城应按雨污分流进行规划和建设。

　　——有条件的地区要按照村收集、乡镇运输、县(市)处理的方式,恢复重建生活垃圾无害化、资源化处理设施。

　　——按标准设置紧急避灾场所和避灾通道。恢复重建公共绿地。

专栏6　市政公用设施		合计		四川		甘肃		陕西	
领域	项　目	修复	新建	修复	新建	修复	新建	修复	新建
道路交通	道路(公里)	2548	1509	2301	1332	180	94	67	83
	桥梁(座)	728	123	635	58	54	22	39	43
	公交场站(处)	450	207	419	130	24	3	7	74
供水	水厂(座)	451	15	442	12	8	—	1	3
	管网(公里)	4153	2363	4055	2085	74	119	24	159
供气供热	燃气储气站(座)	203	15	203	10	—	2	—	3
	供气管网(公里)	2052	791	2049	590	—	—	3	201
	热源厂(座)	3	4	—	—	3	4	—	—
	供热管网(公里)	6	41	—	—	6	41	—	—
污水处理	处理厂(座)	331	27	328	21	3	3	—	3
	管网(公里)	800	7256	765	6350	29	471	6	435
垃圾处理	处理场(座)	47	8	39	1	5	5	3	2
	转运站(座)	665	87	565	9	44	60	56	18

第二节　历史文化名城名镇名村

——历史文化名城名镇名村的恢复重建,要尽可能保留传统格局和历史风貌,明确严格的保护措施、开发强度和建设控制要求。

——历史文化街区内受损轻微、格局完整的建筑,应对重点部位进行加固或修缮;确需重建的,其外观要延续传统样式,尽可能利用原有建筑材料或构件。

——恢复重建历史文化街区内损毁的现代建筑,应与整体风格相协调。

——对拟申报国家级、省级历史文化名城名镇名村的,应在恢复重建中切实保护其历史文化特色和价值。

项 目		合计	四川	甘肃	陕西
历史文化名城	国家级	2	都江堰、阆中		
	省级	10	绵阳、什邡、松潘、汶川、广元、江油、绵竹、广汉、剑阁		勉县
历史文化名镇	国家级	2	安仁、老观		
	省级	9	昭化、孝泉、街子、怀远、元通、安顺场、郪江、青莲	碧口	
历史文化名村	省级	1		杨店村	

第六章　农村建设

　　农村生产生活设施的恢复重建,要与统筹城乡综合配套改革、新农村建设和扶贫开发相结合,做到资源整合、分区设计、分级配置、便民利民、共建共享。

第一节　农业生产

　　——稳粮增收,突出优势,做强产业,因地制宜恢复发展优势特色农产品,积极发展生态农业,稳步提高农业综合生产能力。

　　——立足资源优势,恢复重建一批专业化、标准化、规模化的优质特色农产品生产基地。

　　——恢复重建受损农田、蔬菜及食用菌生产大棚和农机具库棚、畜禽圈舍、养殖池塘、机电提灌站、机耕道等设施。

　　——扶持农业产业化经营龙头企业和各类农业专业合作组织及农产品流通基础设施的恢复重建,抓好农产品加工和收购、仓储、运输的恢复重建。

专栏8　农业生产设施和基地

农业生产设施　修复受损农田 10.05 万公顷,恢复重建农业生产大棚 2880 万平方米、畜禽圈舍 2211 万平方米、养殖池塘 1.23 万公顷、机电提灌站 9982 座、机耕道 18392 公里

优质粮油生产基地	建设20个水稻生产基地、14个玉米生产基地、21个马铃薯生产基地、23个"双低"油菜生产基地、0.73万公顷油橄榄基地
特色果蔬生产基地	建设33个蔬菜基地、18个特色水果基地、13个食用菌基地
茶药桑生产基地	建设13个茶叶生产基地、23个中药材生产基地、28个蚕桑产业基地
畜牧业生产基地	建设年出栏890万头肉猪生产基地、年出栏226万只肉羊生产基地、年出栏42万头肉牛生产基地、年存栏4.2万头奶业生产基地、年出栏800万只土鸡生产基地、年存栏650万只兔业生产基地、年产5000吨蜂产品生产基地
水产生产基地	建设39个特色水产养殖基地
林业产业基地	建设1.93万公顷木竹原料林基地、1.53万公顷核桃等特色经济林基地

第二节　农业服务体系

——加大对农业技术推广应用的支持力度,开发新产品,发展新产业,促进农业结构调整。

——恢复重建良种繁育、动植物疫病防控、农产品质量安全和市场信息服务、农业技术推广服务体系和农业科研机构等。

专栏9　农业服务体系　　　　　　　单位:个

项　　目		合计	四川	甘肃	陕西
良种繁育场（站）	农作物良种繁育场(站)	79	66	4	9
	畜禽良种繁育场	141	80	31	30
	水产良种繁育场	32	28	1	3
农业技术综合服务站	市级	5	3	1	1
	县级	51	39	8	4
	乡级	1271	1021	160	90
农业科研机构	农科所	4	3	1	—

第三节 农村基础设施

——利用成熟适用的技术、工艺和设备,鼓励使用当地材料和人力,恢复重建农村公路、村庄道路、供水供电、垃圾污水处理、农村能源等设施。继续实施农村饮水安全工程。

专栏10 农村基础设施					
项目		合计	四川	甘肃	陕西
饮水安全	集中供水设施(处)	4586	3357	1079	150
	分散供水设施(处)	300151	270931	29000	220
	解决饮水安全人数(万人)	860.7	721.3	107.0	32.4
农村公路(公里)		39948	29345	7414	3189
县客运站(个)		49	39	8	2
乡客运站(个)		363	342	18	3
农村沼气(处)		430010	419400	8473	2137
垃圾收集转运处理设施(处)		15759	11891	2700	1168

——就地重建的村庄应以原有设施为基础,在保证安全的前提下,修复重建基础设施。异地新建的村庄,应尊重当地农民的生产方式和生活习惯,合理确定基础设施的重建水平和方式。

——农村生产、生活设施以及服务体系的恢复重建,要考虑贫困村、国有农场和国有林场的特殊情况,统筹安排相关设施的恢复重建。

第七章 公共服务

公共服务设施的恢复重建,要根据城乡布局和人口规模,整合资源,调整布局,推进标准化建设,促进基本公共服务均等化。优先安排学校、医院等公共服务设施的恢复重建,严格执行强制性建设标准规范,将其建成最安全、最牢固、群众最放心的建筑。

第一节 教育和科研

——实施灾区教育振兴工程,以义务教育为重点,恢复重建各级各类教育基础设施。统筹企业办教育机构和民办教育机构的恢复重建。

——高质量地恢复重建中小学校,扩大寄宿制学校规模和寄宿生比重,实施中小学骨干教师支教计划。

——农村地区普通高中、中等职业学校(技工学校)原则上建在县城,初中建在中心乡镇,小学布局相对集中。

——合理布局重建幼儿园、特殊教育学校等。

——恢复重建受损的高等院校和科研机构。

专栏11　教　育				单位:所
项　目	合计	四川	甘肃	陕西
小学	3462	1973	1194	295
其中:寄宿制	1503	955	253	295
初中	970	769	144	57
其中:寄宿制	891	710	124	57
高中	153	112	28	13
中等职业学校	217	189	20	8
其中:技工学校	60	56	1	3
高等院校(点)	24	22	1	1
特殊教育学校	23	21	1	1
幼儿园	270	250	17	3
其他	62	62	—	—

第二节　医疗卫生

——重点恢复重建县级医院和疾病预防控制、妇幼保健、计划生育服务机构,以及乡镇卫生院、中心乡镇计划生育服务站,全面恢复市县乡村基本医疗和公共卫生服务体系。恢复重建地方病防治设施。统筹企业办医疗机构和非公立医疗机构的恢复重建。恢复市级药品监督检验所。

——加强基层计划生育、妇幼保健与其他医疗卫生服务资源的有效整合。服务人口较少的乡镇计划生育服务用房与乡镇卫生院原则上统一建设,不再单独重建。适当配置计划生育流动服务车,增强服务能力。

专栏12	医疗卫生和计划生育服务			单位:个
项　　目	合计	四川	甘肃	陕西
医院	169	137	23	9
疾病预防控制机构	63	48	11	4
妇幼保健机构	52	39	9	4
乡镇卫生院(含统建普通乡镇计生站)	1263	1021	160	82
药品检验所	7	5	1	1
其他卫生机构	67	57	2	8
计划生育服务机构	66	53	9	4
中心乡镇计划生育服务站	348	268	46	34
计划生育流动服务车(辆)	450	346	62	42

第三节　文化体育

——合理布局公共文化和体育设施,抓好县级图书馆、文化馆、档案馆、影剧场(团)、广播电视、新闻出版、体育场馆、青少年活动场所、乡镇综合文化站等各类设施的恢复重建。

——公共文化设施要尽可能集中规划建设,乡镇综合文化站要充分发挥文化宣传、提供信息、科普及技术培训等服务功能。恢复重建文化信息资源共享工程服务网络。

——恢复广播电视网络功能,恢复重建广播电台、电视台和无线广播电视发射、监测台站等,修复广播电视村村通设施。乡镇广播电视站业务用房与乡镇综合文化站统一建设。

——恢复重建公益性出版机构、新华书店等的设施以及农家书屋、公共阅报栏。

——恢复重建受损体育场(馆)等设施,乡镇体育场所的恢复重建原则上要与学校或文化设施统筹规划,共建共享。

专栏 13   文化体育
公共文化设施　恢复重建图书馆 52 个、文化馆 54 个、档案馆 56 个、乡镇综合文化站 1177 个(含统建乡镇广播电视站),影剧场(团)和全国文化信息资源共享工程服务县级支中心、基层点
广播影视设施　恢复重建无线广播电视发射、监测台 90 座,广播电视台 54 座,修复广播电视传输覆盖网络 29522 公里,广播电视有线前端 51 个,修复配置乡镇广播电视播出和传输设备 18332 台(件),广播电视村村通设施 15688 套,流动电影放映车及设备 2526 套
新闻出版设施　恢复重建公益性出版机构 4 个、新华书店 1146 处,农家书屋和受损公共阅报栏
体育设施　恢复重建受损体育场 42 个、体育馆 37 个、后备人才训练等设施 83 处,配套建设基层全民健身设施

第四节　文化自然遗产

　　——注重世界文化自然遗产和民族文化的抢救保护,保护非物质文化遗产,保护具有历史价值和少数民族文化特色的建筑物。

　　——修缮恢复世界文化自然遗产、文物保护单位、烈士纪念物保护单位和博物馆、文物中心库房、文物管理所、非物质文化遗产专题博物馆、民俗博物馆和传习所以及相关宗教活动场所。

专栏 14   文化自然遗产
世界文化自然遗产　修复青城山—都江堰、九寨沟、黄龙、四川大熊猫栖息地
中国世界遗产预备名录　修复三星堆遗址、藏族羌族碉楼与村寨、剑南春酒坊遗址
文物保护单位　修复二王庙、彭州领报修院、江油云岩寺、平武报恩寺、广元皇泽寺、理县桃坪雕楼羌寨、徽县新修白水路摩崖、宁强同心羌寨等各级文物保护单位 190 处,少数民族物质文化遗产 20 处
博物馆及文物库房　修复绵阳市博物馆、什邡市博物馆、茂县羌族博物馆、陇南市博物馆、广元市中心库房、汉源县文管所等 65 处,馆藏文物 3473 件(套)
非物质文化遗产　修复北川羌族民俗博物馆、剑南春酒酿造技艺专题博物馆、绵竹年画博物馆、文县白马池哥昼传习所、略阳江神庙民俗博物馆等 111 处

第五节　就业和社会保障

——实施就业援助工程,加强对青壮年的职业技能培训,通过对口支援、定向招工、定向培训、劳务输出等,解决规划区100万左右劳动人口的就业问题。

——恢复重建就业和社会保障服务设施,原则上县城建设一个就业和社会保障综合服务设施,街道(乡镇)、社区建设劳动保障工作平台,提供就业、人才、社会保障和争议调解仲裁等服务。恢复重建就业和社会保障服务信息系统。

专栏15　就业和社会保障　　　　　单位:个

项　　目	合计	四川	甘肃	陕西
县级就业和社会保障综合服务机构	51	39	8	4
基层劳动保障工作平台①	1855	1507	217	131
县乡社会福利机构②	1855	1350	476	29
县乡残疾人综合服务设施	157	138	12	7

——实施灾区孤儿、孤老、孤残人员特殊救助计划,增强各级各类社会福利、社会救助和优抚安置服务设施能力。重建并适当在县城新建福利院、敬老院和残疾人综合服务等设施,在成都建设残疾人康复中心,恢复重建殡仪馆和救助管理站。

第六节　社　会　管　理

——社会管理设施的恢复重建,要节俭实用,严格控制建设标准,结合行政区划的调整,适应政府职能转变和机构改革要求,同级同类机构的用房和设施要尽可能集中建设、共建共享。

——恢复重建各级党政机关、政法机构的办公和业务用房,以及工商、卫生、食品药品、质检、安全生产、环境、金融、文化等监督监管机构的业务用房。恢复重建消防设施。

——恢复重建城市(城区)社区服务设施。

——建设乡镇公职人员周转住房,为乡镇挂职干部、支教、援医等人员提供宿舍。

——统筹村公共服务,新建村级综合公共服务设施,为村级组织办公、医疗卫生、计划生育、文体活动、就业和社会保障、党员教育、警务、农业生产服务等提供

---

①　基层劳动保障工作平台主要包括街道(乡镇)劳动保障事务所、社区劳动保障工作站。

②　县乡社会福利机构主要包括社会福利院(儿童福利院、精神病院)、敬老院、救助管理站、殡仪馆(站)、光荣院和优抚医院、烈士纪念设施、军休所。

统一共用场所。

第八章 基础设施

基础设施的恢复重建,要把恢复功能放在首位,根据地质地理条件和城乡分布合理调整布局,与当地经济社会发展规划、城乡规划、土地利用规划相衔接,远近结合,优化结构,合理确定建设标准,增强安全保障能力。

第一节 交 通

——加快公路的恢复重建,充分利用原有公路和设施,以干线公路为重点,兼顾高速公路,打通必要的县际、乡际断头路。适当增加必要的迂回路线,力争每个县拥有两个方向上抗灾能力较强的生命线公路,初步形成生命线公路网。

——对干线和支线铁路中受损的路段和运营设施设备等进行全面检测、维护和加固,对受损严重的线路和生产运营设施进行改建或重建,提高对外通道能力。

——区分轻重缓急,修复受损民航设施设备,全面恢复并提高民航运输能力。

——建立健全交通应急体系,建设应急交通指挥、抢险救助保障系统。

专栏16 交 通
高速公路 修复勉县至宁强至广元、广元至巴中、雅安至石棉、都江堰至映秀、成都至绵阳、绵阳至广元、成都至邛崃、成都至都江堰、成都至彭州、宝鸡至牛背等高速公路
干线公路 修复国道108、212、213、316、317、318线等受损路段共约1910公里,以及22条省道(含2条省养县道)约3323公里,12条其他重要干线公路约848公里,适时启动绵竹至茂县、成都至汶川高等级公路
铁路 修复加固宝成、成昆、成渝等干线铁路和成汶、广岳、德天、广旺等支线铁路,改建或重建宝成线109隧道等路段及受损严重的绵阳、广元、江油、德阳等主要车站,建设成都至都江堰城际铁路、成绵乐客运专线、兰渝铁路、成兰铁路、西安至成都铁路
民航 修复成都、九黄、绵阳、广元、康定、南充、泸州、宜宾、汉中、咸阳、安康、兰州、庆阳等机场以及民航空管、航空公司、航油等单位受损的设施设备

——适时启动对规划区经济社会发展有重要先导和支撑作用的公路干线、铁路干线的建设。

第二节 通 信

——按照资源共享、先进实用、安全可靠的要求,加快公众通信网的恢复重建,加强应急通信能力建设,推进网络化综合信息服务平台建设,提升通信服务水平和灾备应急能力。

　　——恢复重建邮政设施,按照城乡分布完善邮政局(所)布局。

专栏17　通　信

公众通信网　恢复重建固定通信网交换机 113 万线、宽带接入设备 56 万线,移动通信网交换机 1036 万户、基站 7809 个,基础传输网光缆 70775 皮长公里、电缆 12833 皮长公里、传输设备 17332 端,业务用房 68.7 万平方米
通信枢纽　建立从成都到国际出入口的高效、直达数据专用通道和数据灾备中心
应急通信　建立通信应急指挥调度系统、应急卫星通信系统
邮政　恢复重建邮政综合生产营业用房 57 处、邮政支局 385 处、邮政设备设施 2178 台(套)、邮政配套设施及车辆

第三节　能　源

　　——恢复重建重点输电设施,骨干电源与外送通道,以及城乡中低压配电网络和进户设施,规划建设电力结构与布局调整项目。

　　——加强停运水电站设施安全养护,排除隐患,安全度汛。做好水电资源开发的统一规划,根据交通和送出工程等外部条件恢复情况,积极稳妥推进受损水电站的恢复重建。

　　——对电力设施和水电站大坝按照新的设防标准进行设计复核,对不能满足安全运行要求的实施补强加固。

　　——支持受损煤矿恢复重建,尽快发挥正常生产能力。对损毁严重、剩余储量小、开采条件复杂、安全条件差的煤矿,不支持恢复重建。

　　——修复气井、净化厂、炼油厂、管线及其保护设施、油库和加油站等,恢复受损天然气生产和输送能力、成品油管输能力。

专栏18　能　源

电网　恢复重建 35 千伏以上变电站 324 座,变电容量 1809 万千伏安,线路 7372 公里;10 千伏及以下配电容量 380 万千伏安,线路 9.24 万公里
电源　恢复重建江油、略阳电厂,紫坪铺、映秀、太平驿、福堂、杂谷脑河、碧口、汉坪咀、葫芦头、东方红等发电设施,其中大中型水电站 129 座、装机总容量 700 多万千瓦
煤矿　恢复重建天池、红星、大昌沟、赵家坝、荣山、坤达、西坡等 164 个煤矿及外部基础设施
油气　恢复重建气井 1176 口、中坝净化厂、南充炼油厂、兰成渝输油管道及保护设施、天然气管线 100 多条、油库 8 座、加油站 922 座

第四节 水 利

——对影响防洪安全的受损堤防、水库进行全面除险加固,疏浚淤堵河道,恢复防洪能力。消除堰塞湖(坝)对防洪的影响。恢复重建水文及预警预报等设施。

——结合受损水库除险加固和受损灌区重建,对受损供水设施进行全面修复,恢复供水能力。

——恢复重建农田水利基础设施和水土保持与水资源监测设施。

专栏19 水 利
防洪减灾 除险加固水库1263座、堤防1199公里,整治堰塞湖(坝)105处,恢复重建水文站112个
农田水利 恢复重建大型灌区7处、中小型灌区1289处、独立微型水利设施55498处
水资源监测 恢复重建水源地及主要河流水质监测设施4454处

第九章 产 业 重 建

产业的恢复重建,要根据资源环境承载能力、产业政策和就业需要,以市场为导向,以企业为主体,合理引导受灾企业原地恢复重建、异地新建和关停并转,支持发展特色优势产业,推进结构调整,促进发展方式转变,扩大就业机会。

第一节 工 业

一、结构调整

——坚持高起点、高标准,发挥规划区中心城市科技资源集中、产业基础较好的优势,重点发展电子信息、重大装备、汽车及零部件、新材料新能源、石油化工、磷化工、精细化工、纺织等产业。立足特色农林资源,发展食品、饮料、中药材等农林产品加工业。应用先进适用技术改造传统产业,积极发展高技术产业。

——坚持节能减排,发展循环经济。抓好工业节能、节水、节地、节材,重点抓好高耗能企业节能减排,推广清洁生产技术和工艺。加强废旧建筑材料、建筑垃圾等废弃物的综合利用。支持利用建筑垃圾、工业固体废弃物、煤矸石等开发环保建材产品,发展新型墙体材料。

——合理确定产业重建规模和布局,防止低水平重复建设。坚决淘汰或关闭不符合国家产业政策的落后产能和企业。

二、企业重建

——恢复重建重大装备、建材、磷化工、医药等企业。依托优势资源和产业基础,优先启动服务灾区重建和有利于扩大就业的项目。

——支持东汽、二重、攀长钢、长虹、九洲、宏达、阿坝铝厂、厂坝铅锌矿、成州矿业等中央企业和地方骨干企业恢复重建。支持军工企业恢复重建。

——扶持个体私营经济,以及中小企业、劳动密集型企业、带动农民增收作用大的农业产业化经营龙头企业和少数民族特需商品定点生产企业的恢复重建。

专栏20　工业企业恢复重建项目				单位:个
	小计	四川	甘肃	陕西
原地恢复项目	2261	2057	152	52
原地重建项目	729	564	99	66
异地新建项目	611	459	103	49
合计	3601	3080	354	167

——支持受灾企业按照产业政策和行业准入条件,通过兼并联合重组等方式,调结构、上规模、上水平、上档次。积极引导和承接产业转移,支持国内外投资者特别是对口支援地区的企业采取各种方式参与受灾企业重组、重建。

三、产业集聚区

——调整优化工业布局,发挥现有国家级、省级开发区的作用,引导企业集中布局,培育特色优势产业集群。

——结合灾区企业异地新建,撤并和迁建部分县(市、区)产业园区,适当扩大部分现有国家级、省级开发区的面积。

——新设循环经济产业集聚区,鼓励发展"飞地经济",承接适度重建区和生态重建区企业的异地新建,和其他企业集中布局。

——支持对口支援地区与受援地区按合理布局的原则,合作建设产业园区,吸引东、中部地区产业转移。

专栏21　产业集聚区	
撤并和迁建的工业园区	阿坝水磨工业园区、平武南坝工业园、北川工业园、安县花荄工业园区、青川工业集中区、什邡蓥华工业园、什邡穿心店工业区、绵竹龙蟒河工业集中区、绵竹高尊寺化工集中发展区
扩大面积的国家级、省级开发区	绵阳高新技术产业开发区、江油工业园区、德阳经济开发区、广汉经济开发区、彭州工业园区、都江堰经济开发区、陇南西成(陇南)经济开发区等
新设立的循环经济产业集聚区	成都、德阳、绵阳、广元、天水、汉中循环经济产业集聚区

第二节 旅　游

——实施重振旅游工程,加强重点旅游区和精品旅游线建设,恢复重建重要景区景点、民族特色旅游城镇和村落。恢复发展以农家乐为主要形式的乡村旅游。

——恢复重建旅游交通设施及沿线旅游服务区、服务站。做好旅游宾馆等设施的加固重建。建设旅游安全应急救援系统。

——加强旅游市场宣传,及时通报旅游安全保障状况,恢复中外游客信心。加强旅游新资源、新产品的促销。

专栏22　旅　游
重点旅游区　建设羌文化体验旅游区、龙门山休闲旅游区、三国文化旅游区、大熊猫国际旅游区
精品旅游线　建设九寨沟旅游环线、藏族羌族文化旅游走廊、地震遗址旅游线、大熊猫栖息地旅游线、三国文化旅游线、川陕甘红色旅游线
景区景点　恢复重建都江堰—青城山、九寨沟、黄龙、剑门蜀道、鋈华山、李白故里、四姑娘山、武都万象洞、成县西狭颂、康县阳坝、舟曲拉尕山、青木川古镇、定军山、宝鸡炎帝陵、千佛崖、略阳五龙洞等

第三节 商　贸

——优化城乡服务设施网点布局,恢复重建关系群众基本生活的商业服务网点、民族贸易网点以及便民利民的生活生产服务网络。重点恢复重建钢材和水泥等建材批发市场、农产品批发市场和农业生产资料流通服务设施。

——整合现有物流设施,重建日用消费品和农业生产资料配送中心、生鲜食品和农产品冷链系统、食糖等重要商品储备库,新建民族特需商品储备设施。引进大型物流企业,促进现代物流发展。

——恢复重建粮食和食用油库、粮油供应站、军供站点、粮食批发市场、粮食收购站点等粮食流通设施。恢复重建成品油、通用物资等国家物资储备设施。

——城镇应恢复重建百货店、超市、便利店、专卖店、专业店、农贸市场等零售业态,振兴传统商业街区,恢复发展社区生活服务业。

——农村应恢复重建"万村千乡市场工程"农家店,日用消费品和农业生产资料销售网点、供销社经营服务体系等。

专栏23　商贸网点		
批发市场　恢复重建生产资料批发市场6个、农产品（含畜产品）批发市场85个、家装建材批发市场24个、日用消费品批发市场30个、其他批发市场36个		
零售业　恢复重建百货店39个、超市79个、农贸市场267个		
配送中心　恢复重建日用消费品配送中心44个、农产品配送中心11个、农资配送中心28个、公共物流平台13个		
粮油储备设施　恢复重建粮食储备库161个，其中中央储备粮代储粮库28个、地方储备粮库133个		
物资储备设施　恢复重建肉类储备库9个、其他重要商品储备库28个，其中国家物资储备库2个		

第四节　金　融

——恢复重建银行业、证券业和保险业分支机构，合理布局基层营业网点。优化金融资源配置，完善金融服务网络。

——恢复重建营业用房、金库、金融网络信息系统。鼓励商业银行、保险公司设立分支机构。做好证券期货、保险经营机构信息系统安全保障和异地灾备工作。

专栏24　金融机构
银行业　修缮加固网点1085个、原址重建776个、异地新建232个、撤并12个
证券业　修缮加固网点19个、原址重建2个、异地新建12个
保险业　修缮加固网点1211个、原址重建11个、异地新建50个

第五节　文化产业

——恢复重建三星堆、绵竹年画、广元和都江堰文化产业园以及九寨沟演艺群、建川博物馆聚落等文化产业基地，加固改造徽县河池和成县同谷书画院，打造羌绣、强巴版画等优势品牌。

——恢复重建受损的演出展览、创意动漫，以及图书音像发行分销、文化娱乐、艺术品经营等网点。

第十章 防灾减灾

防灾减灾体系的恢复重建,要坚持预防为主、合理避让、重点整治、统筹调度的原则,加强防灾减灾体系和综合减灾能力建设,提高灾害预防和紧急救援能力。

第一节 灾害防治

——加强对滑坡、崩塌、泥石流等地质灾害和堰塞湖等次生灾害隐患点的排查和监测,尽快治理险情紧迫、危险性大、危害严重的隐患点。

——加强地震、地质、气象、洪涝灾害等的专业监测系统、群测群防监测系统、信息传输发布系统和应急指挥调度系统及其配套设施建设,提高监测预测预警能力。建设监测预警示范区。

——加强基础测绘工作,恢复建设测绘基准点,建设地理信息系统。

第二节 减灾救灾

——加强紧急救援救助能力建设,充实救援救助力量,提高装备水平,健全抢险抢修和应急救援救助专业队伍。

——加强救灾指挥系统建设,建立健全综合救灾应急指挥、抢险救援和灾情管理系统。

——结合交通网建设疏散救援通道,建立应急水源、备用电源和应急移动通信系统。健全救灾物资储备体系,提高储备能力。

——完善各类防灾应急预案,加强城乡避难场所建设,普及防灾减灾知识,提高全民防灾减灾意识。

——合理确定抗震设防标准,按灾情烈度提高灾区原有设防等级。

专栏25 防灾减灾

监测预警	建设地质灾害监测点10301个、地震灾害监测点324个,气象观测站和预警信息发布点264处
救援救助	建设省市县灾害救援救助应急指挥平台,救灾物资储备库121个
综合减灾	建设省级减灾中心3个、综合减灾宣传教育基地105个、城乡避难所129个
地质灾害治理	治理重大地质灾害隐患点8693处,其中搬迁避让4694处

第十一章 生态环境

生态环境的恢复重建,要尊重自然、尊重规律、尊重科学,加强生态修复和环境治理,促进人口、资源、环境协调发展。

第一节 生态修复

——坚持自然修复与人工治理相结合,以自然修复为主,加快推进林权制度改革。做好天然林保护、退耕还林、退牧还草、封山育林、人工造林和小流域综合治理,恢复受损植被。

——在岷江、嘉陵江、涪江上游地区和白龙江流域实施生态修复工程,逐步恢复水源涵养、水土保持等生态功能。

——恢复重建种苗生产基地、森林防火、林业有害生物及生态监测、动植物病害防控设施和林区基础设施。

——在龙门山断裂带中心区域划定特殊保护区域,以保护珍稀濒危动植物、独特地质地貌和震后新景观为主体功能,兼顾旅游业和其他不影响主体功能的产业发展。

——加强各级自然保护区、风景名胜区、森林公园和地质公园保护设施的恢复重建。具有较高知名度和较大保护价值、受损严重、安全性差的各类保护区,要以保护为主,影响保护对象的生产设施等原则上不予恢复。

——恢复重建卧龙、白水江等大熊猫自然保护区,异地新建卧龙大熊猫繁育研究基地,做好大熊猫及其栖息地的监测,建立大熊猫主食竹开花预警监测系统。

专栏26 生态修复
林草植被恢复 修复生态公益林48.53万公顷,退耕还林等补植补造12.47万公顷
种苗生产基地 修复种苗生产基地1.26万公顷、苗圃用房和温室大棚43.1万平方米
自然保护区 修复国家和省级自然保护区49个、大熊猫等珍稀野生动物栖息地12万公顷、自然保护区生活生产设施16万平方米
风景名胜区 修复国家级风景名胜区9个、省级风景名胜区30个
森林公园 修复国家森林公园17个、省级森林公园18个
森林防火与森林安全监测 修复防火瞭望塔350座、通信基站和中继台152座、专业营房和物资储备库5万平方米

林区基础设施	修复林区道路 8202 公里、给水管线 2512 公里、供电线路 3643 公里、通讯线路 2829 公里
草地恢复	修复草地 15.53 万公顷
水土保持	治理水土流失面积 2073 平方公里

第二节 环境整治

——加强对污染源和环境敏感区域的监督管理,做好水源地和土壤污染治理、废墟清理、垃圾无害化处理、危险废弃物和医疗废弃物处理。

——恢复重建灾区环境监测设施,提升环境监管能力。加强生态环境跟踪监测,建立灾区中长期生态环境影响监测评估预警系统。

专栏 27 环境整治
饮用水源地保护 建设饮用水水源地污染防治设施 323 处
土壤污染治理 高风险区和重污染土壤治理 22 处
核与辐射环境安全保障 建设放射性废物库、辐射环境监测网点、辐射安全预警监测系统等
环境监测 恢复重建环境监测设施和设备

第三节 土地整理复垦

——加强土地整理复垦,重点做好耕地特别是基本农田的修复。

——对损毁耕地,要尽可能复耕,最大限度地减少耕地损失。对抢险救灾临时用地和过渡性安置用地,要适时清理,尽可能恢复成耕地。

——对损毁的城镇、村庄和工矿旧址,以及其他具备整理成建设用地条件的地块,要抓紧清理堆积物,平整土地,尽可能减少恢复重建对耕地的占用,对废弃的建设用地,能复垦为耕地的要尽可能复垦。

专栏 28 土地整理复垦　　　　　　　　　　单位:公顷

	小计	灾毁耕地整理复垦	临时用地整理复垦	建设用地整理复垦	其 他
四川	145164	111880	6152	27132	–
甘肃	15506	12403	345	1441	1317
陕西	2826	1280	149	910	487
合计	163496	125563	6646	29483	1804

62

第十二章　精神家园

精神家园的恢复重建,要加强心理疏导,体现人文关怀,重塑积极乐观向上的精神面貌,坚定自力更生、艰苦奋斗的信心,弘扬伟大抗震救灾精神和中华民族优秀传统文化。

第一节　人文关怀

——实施心理康复工程,采取多种心理干预措施,医治灾区群众心理创伤,提高自我调节能力,促进身心健康。

——各级政府要指导和帮助灾区群众尽快恢复重建自主管理的社区(村民委员会)组织,构建灾区群众和谐和睦、团结互助的邻里关系,发挥社区对安定人心、增进情感、反映民意、化解矛盾、提供服务等方面的重要功能。

——营造关心帮助孤儿、孤老、孤残的社会氛围。

第二节　民族精神

——保留必要的地震遗址,建设充分体现伟大抗震救灾精神的纪念设施。对在恢复重建中做出重大贡献的国内外机构或个人,通过颁发荣誉证书、冠名给予鼓励。

——鼓励文艺工作者创作优秀作品,大力宣传抗震救灾中激发的伟大民族精神和自强不息重建新家园的感人事迹。

专栏29　精神家园

心理康复工程　在中小学校开展心理疏导教育,在医院设置心理门诊,在新闻媒体开办专栏节目,组织专业人员和志愿者进社区(村庄),开设心理咨询热线,培训心理疏导专业人员,编写灾区志愿者服务工作手册和心理辅导手册

羌族文化抢救工程　建立国家级羌族文化生态保护实验区,修复严重受损的羌族文物、珍贵非物质文化遗产实物和资料,抢救灾区文物、文化典籍和非物质文化遗产,建立民间文化数据库,编写羌族文化普及读本

汶川地震遗址保护和建设　保护北川县城、映秀镇、汉旺镇等地震遗址,建设博物馆及其他纪念地、纪念设施

——抢救修复灾区文物、文化典籍及珍贵非物质文化遗产实物和资料,抢救和保护具有历史价值、民族特色的非物质文化遗产。培养民族民间文化传承人。

第十三章 政策措施

坚持特事特办，根据恢复重建需要，制订实施针对性强的政策措施，加强协调配合，形成合力，为实现本规划确定的目标和完成重建任务提供政策支撑。

第一节 财政政策

——建立恢复重建基金。中央财政建立地震灾后恢复重建基金。灾区省级财政比照建立地震灾后恢复重建基金。

——调整财政支出结构。压缩中央和灾区各级政府行政事业支出，加大转移支付力度，保障县乡基层政权机构正常运转。调整现有专项建设规划和专项资金安排，按用途不变原则整合资金，向灾区特别是受灾贫困地区倾斜。

——支持利用国外贷款。国际金融组织和外国政府提供的灾后恢复重建优惠紧急贷款资金，与中央恢复重建基金配合使用。规划区内国际金融组织和外国政府贷款项目，因灾无法按期偿还贷款本息的，先暂由中央财政垫付偿还。

第二节 税费政策

——减轻企业税收负担。扩大规划区企业增值税抵扣范围，灾区企业享受企业所得税优惠政策。对进口国内不能满足供应并直接用于恢复重建的大宗物资、设备等给予进口税收优惠。对专项用于抗震救灾和恢复重建新购的特种车辆，免征车辆购置税。

——减轻个人税收负担。对灾区个人获得的救灾和捐赠款，以及抗震救灾一线人员按照规定标准取得的补贴收入，免征个人所得税。

——支持城乡住房建设。对灾区城镇廉租住房和经济适用住房建设给予税收优惠。对农民重建住房，在规定标准内免征耕地占用税。

——免收部分政府基金。免收规划区内的三峡工程建设基金、大中型水库移民后期扶持基金，以及属于中央收入的文化事业建设费、国家电影事业发展专项资金和水路客货运附加费。

——减免部分行政收费。免收规划区内属于中央收入的建筑企业和矿产资源开采企业有关收费，减免金融机构以及电力企业的有关监管费。

第三节 金融政策

——恢复金融服务功能。全国性金融机构对口支持受损分支机构。鼓励金融机构对灾区受损严重的地方法人金融机构兼并重组。支持适当减免金融机构交易费用、客户查询等收费。

——加大信贷支持力度。实施倾斜和优惠的信贷政策。允许符合条件的银行业金融机构开展并购贷款和跨地区贷款业务。增加扶贫贴息贷款规模投放。对城镇住房建设给予贷款优惠,鼓励发放农民自建住房贷款。拓宽农村贷款抵押担保物范围。

——增强机构贷款能力。继续执行倾斜的准备金政策,允许提前支取特种存款。增加再贷款(再贴现)额度,降低支农再贷款利率、拓宽使用范围。发展新型农村金融机构,增强农村信贷投放能力。

——发挥资本市场功能。支持符合条件的企业优先上市融资、发行债券和短期融资券以及对上市公司的并购重组。扶持符合条件的中小企业发行短期融资券、中小企业集合债券等。支持灾区符合条件的地方法人金融机构发行金融债券。

——加大保险创新力度。支持为恢复重建提供工程、财产、货物运输、农业以及建设人员意外健康等各类保险。对支持恢复重建的各类保险给予费率优惠。

——加强信用环境建设。依法保护遇难者账户资金、金融资产所有权和继承权。对因灾形成的不良债务实施有效重组。依法维护金融债权。

第四节 土地政策

——调整用地计划。调整灾区土地利用规划和年度用地计划,核定新增建设用地总规模,适当增加适宜重建区新增建设用地规模,扩大城乡建设用地增减挂钩周转指标范围。对恢复重建项目,先行安排使用土地,简化审批程序,边建设边报批,并按照有关规定办理用地手续。

——实行特殊供地。对恢复重建项目用地,按规定分别采取免收新增建设用地土地有偿使用费和土地出让收入,实行划拨供地、降低地价等特殊政策。

——节约集约用地。依法保护耕地,支持土地整理复垦。促进工业集中布局,城镇内部紧凑布局,有条件的村庄相对集中,公共服务设施共建共享,大力提高土地利用效率。

第五节 产业政策

——重振旅游经济。把旅游业作为恢复重建的先导产业,优先安排恢复重建基金和鼓励各类投资基金等用于旅游基础设施和旅游企业的恢复重建,尽快全面恢复旅游业的发展。

——促进农业生产。中央财政对受损农田、种子种苗种畜等农业生产资料生产,以及规模化种养殖、良种繁育、农业技术推广和服务设施的恢复重建给予支持。对抛售中央储备粮统负盈亏。粮食直补、农资综合直补等资金向灾区倾斜。

——支持骨干企业。中央财政对中央国有重点骨干企业恢复重建给予注入资本金或贷款贴息支持,对中央军工企事业单位恢复重建给予投资补助或贷款贴息支持,对符合产业政策的地方骨干企业给予贷款贴息支持。

——扶持中小企业。鼓励地方政府出资引导建立中小企业贷款担保基金。对符合条件的中小企业特别是劳动密集型中小企业、带动农民增收作用大的农业产业化经营龙头企业,给予小额担保贷款和贷款贴息等支持。扶持少数民族特需商品和民族手工艺品的生产。

——推动科技创新。有效整合灾区产学研力量,尽快恢复重建高技术企业,以及科技实验基地、条件平台和配套设施。支持灾区企业、科研机构提高自主研发和配套能力,并在财税、金融政策和政府采购等方面给予扶持。

——促进商贸流通。对受损粮库抢修、重建,中央财政给予支持。对农产品批发市场、农贸市场、物流配送中心、民族贸易网点等流通基础设施以及重要商品储备设施的恢复重建,国家给予适当支持。

——调整行业准入。适度调整煤炭新建项目规模限制,鼓励国有煤矿企业整合受灾小煤矿。适当放宽水泥生产"上大压小"条件,建设一批新型干法水泥项目。实行直购电试点。

——淘汰落后产能。淘汰高耗能高污染企业和不符合国家产业政策的落后产能,关闭无法达到安全生产条件的矿山企业和重要水源保护区内污染严重企业。中央财政对地方淘汰"两高一资"落后产能给予奖励,妥善解决好淘汰和关闭企业职工的生活。

第六节 对 口 支 援

——明确支援任务。19 个支援省(市)按每年不低于本省(市)上年地方财政一般预算收入 1%的实物工作量,对口支援四川、甘肃、陕西省的 24 个县(市、区)①。

——鼓励各界投资。鼓励各地区的企业、社会团体和个人,按照市场化运作方式,到灾区投资办厂、兴建经营性基础设施。

——提供便利条件。鼓励金融机构向对口支援企业提供优惠贷款。对恢复重建大宗物资运输,铁路部门优先列入运输计划,公路部门开辟"绿色通道"。

第七节 援 助 政 策

——开展教育援助。鼓励各地区吸收灾区中等职业学校学生到本地就学。地方各级人民政府要尽快落实将灾区进城务工人员随迁子女义务教育纳入公共教育体系的政策。加大对中小学教师特别是特殊教育师资配置和培训的支持力度。加

---

① 对口支援对象除已经公布的四川省 18 个县(市)外,增加了甘肃省的文县、武都区、康县、舟曲县和陕西省的宁强县、略阳县。

大对家庭经济困难学生的资助力度。扩大高校在灾区的招生计划。

——实施孤残救助。支持社会福利、社会救助、康复等设施建设。新建公共服务场所应配置残疾人专用设施。鼓励企业、社会团体和个人为孤残人员提供多种扶助。

——加大就业援助。将因灾就业困难人员纳入就业援助范围，确保每个家庭至少有一人就业。对规划区内招用因灾失业城镇职工的企业，以及因灾失业城镇职工从事个体经营的，给予税收优惠。按规定降低规划区内企业失业保险费率。采取社会保险补贴、小额担保贷款等措施促进就业。

——加强扶贫援助。加大农村低保投入力度，将因灾返贫的困难群众按规定全部纳入低保。恢复重建基金中安排资金用于贫困村恢复重建。对少数民族地区和贫困地区的恢复重建项目不要求省级以下地方政府提供配套资金。

——提供社会保障。确保参保人员工伤保险支付，通过社会捐助、救助制度扶助未参保伤亡职工。确保灾区企业离退休人员基本养老金支付，因灾停产企业可缓缴社会保险费，破产企业清偿后仍欠缴的养老保险费经批准后予以核销。按时足额发放失业保险金，实施临时生活救助，提供城乡最低生活保障。

——开展法律援助。各级法律援助机构应依法为灾区群众提供法律咨询、代理、刑事辩护等无偿法律服务。律师协会应为法律援助工作提供必要协助。司法、行政部门要做好法律援助监督工作。

第八节　其他政策

——开展社会募集。倡导社会各界继续捐赠款物。鼓励港澳台同胞和海外华人华侨在恢复重建中发挥积极作用。积极争取国际组织、外国政府和非政府组织提供技术援助和赠款。对单位、个体经营者和财产所有人无偿捐赠物资、资金、财产的，给予税收优惠。

——推进以工代赈。采取以工代赈方式组织灾区群众参与恢复重建。恢复重建基金安排以工代赈资金，用于废墟清理和农业农村小型基础设施的修复等。鼓励采取以工代赈方式组织实施对口支援项目的建设。以工代赈的恢复重建项目不要求省级以下地方政府提供配套资金，适当提高劳务报酬所占比例。

——稳妥安置人口。统筹安置规划区内需要安置的受灾农村人口。对实行农业安置的，应依法调剂安排耕地、林地和宅基地，并给予后期扶持。对实行城镇安置的，应妥善解决好居住、社会保障、创业就业以及户籍等问题。

——实行同等优先。在同等条件下，恢复重建项目的建设优先选择灾区施工单位，优先招用灾区劳动力，优先采购灾区材料和设备。

——培养引进人才。整合培训资源，加大对恢复重建急需的城乡规划设计、建设项目管理、农村住房建设技术指导、心理疏导、特殊教育、民族民间文化传承等人员的培训力度。采取更积极、更灵活的政策，大力引进各类专业人才，支持高校毕业生到灾区工作和创业。

——鼓励社会参与。支持民办非企业机构、基金会、行业协会等社会组织参与恢复重建，在资金募集、企业重建、职业技能培训和中介服务等方面发挥重要作用。鼓励国内外专家和志愿者参与恢复重建，在教育援助、孤残救助、心理疏导、技术指导、规划咨询等方面发挥积极作用。

第十四章　重建资金

坚持用改革的办法多渠道筹措恢复重建资金，充分调动各方面积极性，积极创新筹资方式和使用方式，提高资金使用效率，完善资金管理和监督机制，为实现本规划确定的目标和完成重建任务提供资金保障。

第一节　资金需求和筹措

——根据本规划确定的目标和重建任务，恢复重建资金总需求经测算约为1万亿元。

——中央财政按照恢复重建资金总需求30%左右的比例建立中央地震灾后恢复重建基金。

——通过地方政府投入、对口支援、社会募集、国内银行贷款、资本市场融资、国外优惠紧急贷款、城乡居民自有和自筹资金、企业自有和自筹资金、创新融资等，多渠道筹措恢复重建资金。

第二节　创新融资

——采取多种方式，增强省级地方政府筹措资金能力。

——拓宽住房融资渠道，发展住房融资担保业务，开展住房融资租赁业务试点，解决城乡居民住房融资困难。

——在规划区内有条件的县（市、区），建立适合农村特点的小额贷款公司和农村资金互助社等。

——鼓励设立支持中小企业和科技创新的创业投资企业。探索开展基础设施项目等资产证券化试点。通过政府引导募集社会资金，探索设立支持恢复重建的公益性基金和产业投资基金等各类基金。

第三节　资金配置

——财政性资金，主要是中央地震灾后恢复重建基金，按照统筹安排、突出重点、分类指导、包干使用的原则，主要用于城乡居民住房补助、人口安置、公共服务、公益性市政公用设施和基础设施、农业服务体系和农村基础设施、流通基础设施、防灾减灾、生态修复、环境整治、土地整理复垦和精神家园等领域的恢复重建，以及中央国有重点骨干企业资本金补充和贷款贴息。

——对口支援资金，主要用于城乡居民住房、公共服务、市政公用设施、农业和农村基础设施的恢复重建，以及规划编制、建筑设计、专家咨询、工程建设和监理等服务。

——社会募集资金，在坚持尊重捐赠者意愿的前提下，优先用于农村居民住房、学校、医院、文化、社会福利、农村道路和桥梁、地震遗址纪念地和设施、自然保护区、文化自然遗产、精神家园等的恢复重建。

——信贷资金，主要用于城乡居民住房、农业产业化、农业生产基地、交通、通信、能源、工业、旅游、商贸和文化产业等的恢复重建。

——资本市场融资，主要用于交通、通信、能源、工业、旅游、商贸和文化产业等的恢复重建。

——国外优惠紧急贷款资金，主要用于城镇和农村公益性设施、基础设施、廉租房、生态修复、环境整治等的恢复重建。

——创新融资，主要用于增强省级人民政府筹措资金能力，引导信贷和社会资金投入，支持城乡居民住房建设和中小企业融资，扶持旅游等产业的恢复重建等。

第十五章 规 划 实 施

建立健全规划实施机制，明确目标任务，把握重建时序，落实工作责任，完善监督考核，有效推进本规划的顺利实施。

第一节 组 织 领 导

——地方各级人民政府和国务院有关部门要充分认识恢复重建任务的艰巨性、复杂性和紧迫性，树立全局意识，切实加强组织领导，全面做好恢复重建的各项工作。

——灾区各级人民政府要建立健全恢复重建领导机构，省级人民政府对本地区的恢复重建负总责，统一领导、统筹协调、督促检查恢复重建规划的实施，市、县级人民政府具体承担和落实恢复重建的主要任务。

——国务院有关部门要按照职责分工，做好指导、协调和帮助恢复重建的各项工作。

——各地区在制订重建任务阶段性目标时，要从实际出发，因地制宜，不搞"一刀切"。

——依据本规划，建立恢复重建目标考核体系，作为考核灾区各级领导班子和领导干部政绩的重要内容。

第二节 规 划 管 理

——本规划是制订恢复重建专项规划、政策措施和恢复重建实施规划的基本依据,是开展恢复重建工作的重要依据,任何单位和个人在恢复重建中都要遵守并执行本规划,服从规划管理。

——国务院有关部门与灾区省级人民政府应依据本规划,尽快编制完成城乡住房、城镇体系、农村建设、基础设施、公共服务设施、生产力布局和产业调整、市场服务体系、防灾减灾、生态修复、土地利用等恢复重建专项规划,并积极组织实施。

——灾区省级人民政府要根据本规划制订恢复重建年度计划,明确重建时序,落实责任主体。

——灾区市、县级人民政府要在省级人民政府指导下,编制本行政区恢复重建实施规划,具体组织实施。根据需要编制或修改相应的城乡规划。

——在本规划实施的中期阶段,由国务院发展改革部门牵头组织对本规划实施情况进行中期评估,评估报告报国务院。灾区省级人民政府也要对本省实施本规划的情况进行中期评估。在本规划实施结束后,由国务院发展改革部门牵头组织有关地区和部门对本规划实施情况进行全面总结。

——规划范围以外其他灾区的恢复重建规划由灾区省级人民政府组织编制和实施,国家通过现行体制加大财政转移支付、扶贫开发等方面力度给予支持。

第三节 分 类 实 施

——可以分解落实到县级行政区的重建任务,由县级人民政府根据本地实际统筹组织实施。主要是农村住房、城镇住房、城镇建设、农业生产和农村基础设施、公共服务、社会管理、县域工业、商贸以及其他可以分解落实到县的防灾减灾、生态修复、环境整治和土地整理复垦等。

——交通、通信、能源、水利等基础设施,重点工业和军工项目,以及其他跨行政区的重建任务,主要由省级人民政府或国务院有关部门组织实施。

——对口支援和非定向社会捐赠资金、捐建项目,要统一纳入恢复重建年度计划和实施规划。

第四节 物 资 保 障

——灾区各级人民政府要积极组织好恢复重建物资的生产和调运。国家对恢复重建物资的货源组织、运输保障等给予必要支持,做好统筹协调。

——加强对恢复重建物资质量的监督检查。对进口的物资,在依法检验检疫的同时要及时验放。

——加强对砖瓦、水泥、钢材等恢复重建重要物资的价格监管,防止不合理涨价。

第五节　监督检查

——灾区各级人民政府和国务院有关部门要加强对资金、项目和重要物资的跟踪与管理,自觉接受同级人大、政协以及社会各界的监督。

——定期公布捐赠款物的接受使用情况、恢复重建资金和物资的来源、数量、分配、拨付及使用情况,主动接受社会监督。发挥城乡社区在恢复重建资金和物资监督检查中的作用。

——加强对恢复重建资金和物资的筹集、分配、拨付、使用和效果的全过程跟踪审计,定期公布审计结果,确保重建资金按照规定专款专用,不被侵占、截留或挪用。

——严格实行项目法人责任制、招标投标制、合同管理制和工程监理制。加强对建设工程质量和安全,以及产品安全质量的监管,组织开展对重大建设项目的稽察。严格执行工程竣工验收规定,未经竣工验收不得投入使用。

——对建设项目以及恢复重建资金和物资的筹集、分配、拨付、使用情况登记造册,建立健全档案,在建设工程竣工验收和恢复重建结束后,及时向建设主管部门或者其他有关部门移交档案。

——任何单位和个人对恢复重建中的违法违纪行为,都有权进行举报。接到举报的人民政府或者有关部门,应当立即调查,依法处理,并为举报人保密。实名举报的,应当将处理结果反馈举报人。社会影响较大的违法违纪行为,处理结果应当向社会公布。

地震灾后恢复重建任务艰巨,时间紧迫,影响深远。在以胡锦涛同志为总书记的党中央坚强领导下,在全国各族人民的大力支持下,灾区广大干部群众一定能够用自己勤劳的双手,重建起一个安居乐业、生态文明、安全和谐的新家园!

地震烈度分布图

规划范围图

73

规划区地势图

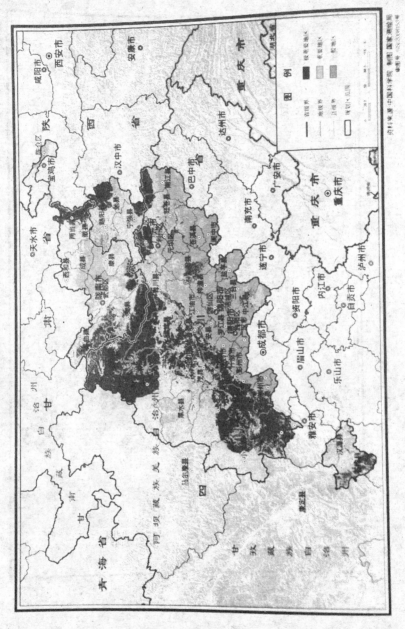

生态功能重要性评价图

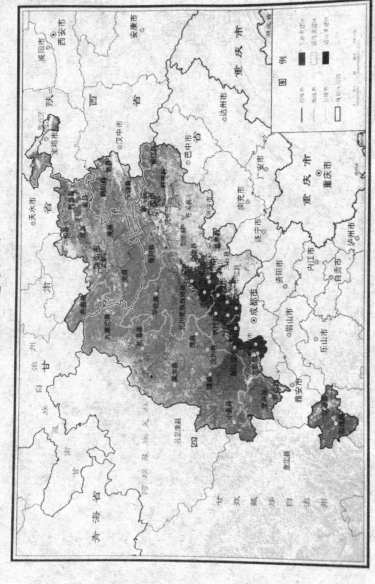

重建分区图

国务院部门规章

银行间债券市场非金融企业
债务融资工具管理办法

（2008年4月9日中国人民银行令第1号公布 自2008年4月15日起施行）

第一条 为进一步完善银行间债券市场管理,促进非金融企业直接债务融资发展,根据《中华人民共和国中国人民银行法》及相关法律、行政法规,制定本办法。

第二条 本办法所称非金融企业债务融资工具(以下简称债务融资工具),是指具有法人资格的非金融企业(以下简称企业)在银行间债券市场发行的,约定在一定期限内还本付息的有价证券。

第三条 债务融资工具发行与交易应遵循诚信、自律原则。

第四条 企业发行债务融资工具应在中国银行间市场交易商协会(以下简称交易商协会)注册。

第五条 债务融资工具在中央国债登记结算有限责任公司(以下简称中央结算公司)登记、托管、结算。

第六条 全国银行间同业拆借中心(以下简称同业拆借中心)为债务融资工具在银行间债券市场的交易提供服务。

第七条 企业发行债务融资工具应在银行间债券市场披露信息。信息披露应遵循诚实信用原则,不得有虚假记载、误导性陈述或重大遗漏。

第八条 企业发行债务融资工具应由金融机构承销。企业可自主选择主承销商。需要组织承销团的,由主承销商组织承销团。

第九条 企业发行债务融资工具应由在中国境内注册且具备债券评级资质的评级机构进行信用评级。

第十条 为债务融资工具提供服务的承销机构、信用评级机构、注册会计师、律师等专业机构和人员应勤勉尽责,严格遵守执业规范和职业道德,按规定和约定履行义务。

上述专业机构和人员所出具的文件含有虚假记载、误导性陈述和重大遗漏的,应当就其负有责任的部分承担相应的法律责任。

第十一条 债务融资工具发行利率、发行价格和所涉费率以市场化方式确定，任何商业机构不得以欺诈、操纵市场等行为获取不正当利益。

第十二条 债务融资工具投资者应自行判断和承担投资风险。

第十三条 交易商协会依据本办法及中国人民银行相关规定对债务融资工具的发行与交易实施自律管理。交易商协会应根据本办法制定相关自律管理规则，并报中国人民银行备案。

第十四条 同业拆借中心负责债务融资工具交易的日常监测，每月汇总债务融资工具交易情况向交易商协会报送。

第十五条 中央结算公司负责债务融资工具登记、托管、结算的日常监测，每月汇总债务融资工具发行、登记、托管、结算、兑付等情况向交易商协会报送。

第十六条 交易商协会应每月向中国人民银行报告债务融资工具注册汇总情况、自律管理工作情况、市场运行情况及自律管理规则执行情况。

第十七条 交易商协会对违反自律管理规则的机构和人员，可采取警告、诫勉谈话、公开谴责等措施进行处理。

第十八条 中国人民银行依法对交易商协会、同业拆借中心和中央结算公司进行监督管理。

交易商协会、同业拆借中心和中央结算公司应按照中国人民银行的要求，及时向中国人民银行报送与债务融资工具发行和交易等有关的信息。

第十九条 对违反本办法规定的机构和人员，中国人民银行可依照《中华人民共和国中国人民银行法》第四十六条规定进行处罚，构成犯罪的，依法追究刑事责任。

第二十条 短期融资券适用本办法。

第二十一条 本办法自 2008 年 4 月 15 日起施行。《短期融资券管理办法》（中国人民银行令〔2005〕第 2 号）、《短期融资券承销规程》和《短期融资券信息披露规程》（中国人民银行公告〔2005〕第 10 号）同时终止执行。

中国银行业监督管理委员会农村
中小金融机构行政许可事项实施办法

（2008 年 6 月 27 日中国银行业监督管理委员会令第 3 号公布 自公布之日起施行）

第一章 总 则

第一条 为规范中国银行业监督管理委员会（以下简称银监会）及其派出机构

实施农村中小金融机构行政许可行为,明确行政许可事项、条件、适用操作流程和期限,维护申请人合法权益,根据《中华人民共和国银行业监督管理法》、《中华人民共和国行政许可法》、《中华人民共和国商业银行法》等法律、行政法规及国务院有关决定,制定本办法。

第二条　本办法所称农村中小金融机构包括:农村商业银行、农村合作银行、村镇银行、贷款公司、农村信用合作社、农村信用合作社联合社、农村信用合作联社、省(自治区、直辖市)农村信用社联合社(以下简称省(区、市)农村信用社联合社)、农村资金互助社等。

第三条　银监会及其派出机构依照本办法和《中国银行业监督管理委员会行政许可实施程序规定》,对农村中小金融机构实施行政许可。

第四条　农村中小金融机构以下事项须经银监会及其派出机构行政许可:机构设立,机构变更,机构终止,调整业务范围和增加业务品种,董事(理事)和高级管理人员任职资格等。

第五条　申请人应按照《中国银行业监督管理委员会农村中小金融机构行政许可事项申请材料目录和格式要求》提交申请材料。

第二章　法人机构设立

第一节　农村商业银行设立

第六条　设立县(市、区)农村商业银行应当符合以下条件:

(一)有符合《中华人民共和国公司法》、《中华人民共和国商业银行法》和银监会规定的章程;

(二)在农村信用合作社及其联合社基础上以新设合并方式发起设立;

(三)注册资本为实缴资本,最低限额为 5000 万元人民币;

(四)有符合任职资格条件的董事、高级管理人员和熟悉银行业务的合格从业人员;

(五)有健全的组织机构和管理制度;

(六)有符合要求的营业场所、安全防范措施和与业务有关的其他设施。

第七条　设立县(市、区)农村商业银行,还应当符合其他审慎性条件,至少包括:

(一)有良好的公司治理结构;

(二)有健全的风险管理体系,能有效控制关联交易风险,最近 1 年未发生重大违法违规行为;

(三)有科学有效的人力资源管理制度,有较高素质的专业人才;

（四）具备有效的资本约束与资本补充机制；

（五）没有地方人民政府财政资金入股；

（六）不良贷款比例低于8%；

（七）资本充足率不低于8%，核心资本充足率不低于4%（考虑发起人拟缴纳的股本、中央银行票据置换因素后）；

（八）所有者权益大于等于股本，即经过清产核资与整体资产评估后（可考虑用中央银行票据置换不良资产及历年亏损挂账等因素），申请人辖内农村信用社合并计算所有者权益剔除股本后大于或等于零；

（九）按规定提足贷款损失准备；

（十）银监会规定的其他审慎性条件。

第八条 在城乡一体化程度较高、农业产值占比较小的地市、地市市辖区、直辖市组建农村商业银行除应符合第六条（一）、（二）、（四）、（五）、（六）及第七条（一）、（二）、（三）、（四）、（五）、（七）、（八）、（九）外，还应符合以下条件：

（一）注册资本为实缴资本，地市农村商业银行最低限额为1亿元人民币，直辖市农村商业银行最低限额为10亿元人民币；

（二）不良贷款比例低于5%；

（三）设立直辖市农村商业银行的，发起人中应有至少一名合格的战略投资者。

第九条 设立农村商业银行应当有符合条件的发起人，发起人包括：自然人、境内非金融机构、境内金融机构、境外金融机构和银监会认可的其他发起人。

省（区、市）农村信用社联合社、农村信用合作社联合社不得向农村商业银行入股。

第十条 自然人作为发起人，应当符合以下条件：

（一）具有完全民事行为能力的中国公民；

（二）有良好的社会声誉和诚信记录；

（三）入股资金来源真实合法，不得以借贷资金入股，不得以他人委托资金入股；

（四）银监会规定的其他审慎性条件。

第十一条 单个自然人投资入股比例不得超过农村商业银行股本总额的2%，职工自然人合计投资入股比例不得超过农村商业银行股本总额的20%。

第十二条 境内非金融机构作为发起人，应当符合以下条件：

（一）在工商行政管理部门登记注册，具有法人资格；

（二）有良好社会声誉、诚信记录和纳税记录；

（三）最近2年内无重大违法违规行为；

（四）财务状况良好，最近2个会计年度连续盈利。境内非金融机构属重组改制的，重组改制后，该企业主营业务、主要控制人等未发生重大变化的，其重组改制前的经营年限及业绩可连续计算；

（五）有较强的经营管理能力和资金实力；

（六）年终分配后，净资产达到全部资产的30%以上（合并会计报表口径）；

（七）具备补充农村商业银行资本的能力，除国务院规定的投资公司和持股公司外，权益性投资余额原则上不得超过本企业净资产的50%（含本次投资金额，合并会计报表口径）；

（八）入股资金来源真实合法，不得以借贷资金入股，且不得以他人委托资金入股；

（九）银监会规定的其他审慎性条件。

第十三条 单个境内非金融机构及其关联方合计投资入股比例不得超过农村商业银行股本总额的10%。

第十四条 境内金融机构作为发起人，应当符合以下条件：

（一）银行业金融机构资本充足率不低于8%，非银行金融机构资本总额不低于加权风险资产总额的10%；

（二）财务稳健，资信良好，最近2个会计年度连续盈利；

（三）公司治理良好，内部控制健全有效；

（四）主要审慎监管指标符合监管要求；

（五）入股资金来源真实合法，不得以借贷资金入股，且不得以他人委托资金入股；

（六）银监会规定的其他审慎性条件。

境内金融机构出资设立或入股须事先报经其权力机构及监督管理部门批准。

第十五条 境外金融机构作为发起人，应当符合以下条件：

（一）最近1年年末总资产不得低于《境外金融机构投资入股中资金融机构管理办法》第七条中投资入股农村信用社的有关要求；

（二）银监会认可的国际评级机构最近2年对其给出的长期信用评级为良好以上；

（三）银行资本充足率应达到其注册地银行业资本充足率平均水平且不低于8%，非银行金融机构资本总额不低于加权风险资产总额的10%；

（四）财务稳健，资信良好，最近2个会计年度连续盈利；

（五）公司治理良好，内部控制健全有效；

（六）入股资金来源真实合法，不得以借贷资金入股，且不得以他人委托资金入股；

（七）注册地国家（地区）金融机构监督管理制度完善；

（八）注册地国家（地区）经济状况良好；

（九）母国监管当局作出的该项投资符合注册地国家（地区）法律、法规的规定及该金融机构符合注册地国家(地区)审慎监管要求的相关声明；

(十)银监会规定的其他审慎性条件。

境外金融机构作为发起人、财务投资者或战略投资者入股农村商业银行应事先报银监会审批，作为战略投资者还应遵循长期持股、优化治理、业务合作、竞争回避的原则。

银监会根据金融业风险状况和监管要求，可以调整前款境外金融机构作为发起人的条件。

第十六条　境外金融机构对农村商业银行投资入股比例执行《境外金融机构投资入股中资金融机构管理办法》的相关规定。

第十七条　任何发起人拟持有农村商业银行股份总额5%以上需事前报银行业监督管理机构批准。

第十八条　农村商业银行设立须经筹建和开业两个阶段。

设立农村商业银行应当成立筹建工作小组，农村商业银行发起人应当委托筹建工作小组作为申请人。

第十九条　农村商业银行的筹建申请，由银监局受理并初步审查，银监会审查并决定。银监会自收到完整申请材料之日起4个月内作出批准或者不批准的书面决定。

第二十条　农村商业银行的筹建期为自批准决定之日起6个月。未能按期完成筹建工作的，申请人应当在筹建期限届满前1个月向银监会提交筹建延期申请。银监会在收到书面申请之日起20日内作出是否批准延期的决定。筹建延期的最长期限为3个月。

申请人应在前款规定的期限届满前提交开业申请，逾期未提交的，筹建批准文件失效，由决定机关办理筹建许可注销手续。

第二十一条　县(市、区)农村商业银行的开业申请，由银监分局或所在城市银监局受理，银监局审查并决定。银监局自收到完整申请材料或受理之日起2个月内作出核准或不予核准的书面决定。

地市、直辖市农村商业银行的开业申请由银监局受理并初步审查，银监会审查并决定。银监会自收到完整申请材料之日起2个月内作出核准或者不予核准的书面决定。

第二十二条　农村商业银行应在收到开业核准文件并领取金融许可证后，到工商行政管理部门办理登记，领取营业执照。

农村商业银行自领取营业执照之日起6个月内应当开业。未能按期开业的，申请人应当在开业期限届满前1个月向决定机关提交开业延期申请。决定机关在收到书面申请之日起20日内作出是否批准延期的决定。开业延期的最长期限为3个月。

农村商业银行未在前款规定时限内开业的,原开业核准文件失效,由决定机关办理开业许可注销手续,收回其金融许可证,并予以公告。

第二节　农村合作银行设立

第二十三条　设立县(市、区)农村合作银行应当符合以下条件:

(一)有符合银监会规定的章程;

(二)在农村信用合作社及其联合社基础上以新设合并方式发起设立;

(三)注册资本为实缴资本,最低限额为2000万元人民币;

(四)有符合任职资格条件的董事、高级管理人员和熟悉银行业务的合格从业人员;

(五)有健全的组织机构和管理制度;

(六)有符合要求的营业场所、安全防范措施和与业务有关的其他设施。

第二十四条　设立县(市、区)农村合作银行,还应当符合其他审慎性条件,至少包括:

(一)有良好的公司治理结构;

(二)有健全的风险管理体系,能有效控制关联交易风险,最近1年未发生重大违法违规行为;

(三)有科学有效的人力资源管理制度,有较高素质的专业人才;

(四)具备有效的资本约束与资本补充机制;

(五)没有地方人民政府财政资金入股;

(六)不良贷款比例低于8%;

(七)资本充足率不低于8%,核心资本充足率不低于4%(考虑发起人拟缴纳的股本、中央银行票据置换因素后);

(八)投资股占股本总额的比例不低于90%;

(九)所有者权益大于等于股本,即经过清产核资与整体资产评估后(可考虑用中央银行票据置换不良资产及历年亏损挂账等因素),申请人辖内农村信用社合并计算所有者权益剔除股本后大于或等于零;

(十)按规定提足贷款损失准备;

(十一)银监会规定的其他审慎性条件。

第二十五条　在城乡一体化程度较高,农业产值占比较小的地市、地市市辖区、直辖市组建农村合作银行除应符合第二十三条(一)、(二)、(四)、(五)、(六)及第二十四条(一)、(二)、(三)、(四)、(五)、(七)、(八)、(九)、(十)外,还应符合以下条件:

(一)注册资本为实缴资本,地市农村合作银行最低限额为1亿元人民币,直辖市农村合作银行最低限额为10亿元人民币;

（二）不良贷款比例低于5%；

（三）设立直辖市农村合作银行的，发起人中应至少有一名合格的战略投资者。

第二十六条 设立农村合作银行应当有符合条件的发起人，发起人包括：自然人、境内非金融机构、境内金融机构、境外金融机构和银监会认可的其他发起人。

省（区、市）农村信用社联合社、农村信用合作联合社不得向农村合作银行入股。

第二十七条 发起人须符合本办法第十条、第十一条、第十二条、第十三条、第十四条、第十五条、第十六条和第十七条的规定。

第二十八条 农村合作银行设立须经筹建和开业两个阶段。

设立农村合作银行应当成立筹建工作小组，农村合作银行发起人应当委托筹建工作小组作为申请人。

第二十九条 农村合作银行的筹建申请，由银监局受理并初步审查，银监会审查并决定。银监会自收到完整申请材料之日起4个月内作出批准或者不批准的书面决定。

第三十条 农村合作银行的筹建期为自批准决定之日起6个月。未能按期完成筹建工作的，申请人应当在筹建期限届满前1个月向银监会提交筹建延期申请。银监会在收到书面申请之日起20日内作出是否批准延期的决定。筹建延期的最长期限为3个月。

申请人应在前款规定的期限届满前提交开业申请，逾期未提交的，筹建批准文件失效，由决定机关办理筹建许可注销手续。

第三十一条 县（市、区）农村合作银行的开业申请，由银监分局或所在城市银监局受理，银监局审查并决定。银监局自收到完整申请材料或受理之日起2个月内作出核准或不予核准的书面决定。

地市、直辖市农村合作银行的开业申请由银监局受理并初步审查，银监会审查并决定。银监会自收到完整申请材料之日起2个月内作出核准或者不予核准的书面决定。

第三十二条 农村合作银行应在收到开业核准文件并领取金融许可证后，到工商行政管理部门办理登记，领取营业执照。

农村合作银行自领取营业执照之日起6个月内应当开业。未能按期开业的，申请人应当在开业期限届满前1个月向决定机关提交开业延期申请。决定机关在收到书面申请之日起20日内作出是否批准延期的决定。开业延期的最长期限为3个月。

农村合作银行未在前款规定时限内开业的，原开业核准文件失效，由决定机关办理开业许可注销手续，收回其金融许可证，并予以公告。

第三节　村镇银行设立

第三十三条　设立村镇银行应当符合以下条件：

（一）有符合《中华人民共和国公司法》、《中华人民共和国商业银行法》和银监会规定的章程；

（二）发起人或出资人应符合规定的条件，且发起人或出资人中应至少有1家银行业金融机构；

（三）注册资本为实缴资本，在县（市）设立的，最低限额为300万元人民币；在乡（镇）设立的，最低限额为100万元人民币；

（四）有符合任职资格条件的董事、高级管理人员和熟悉银行业务的合格从业人员；

（五）有必需的组织机构和管理制度；

（六）有符合要求的营业场所、安全防范措施和与业务有关的其他设施；

（七）银监会规定的其他审慎性条件。

第三十四条　设立村镇银行应当有符合条件的发起人或出资人，发起人或出资人包括：自然人、境内非金融机构、境内金融机构、境外金融机构和银监会认可的其他发起人或出资人。

发起人或出资人须符合本办法第十条、第十四条、第十五条和第十七条的规定。境内非金融机构企业法人出资设立村镇银行，应符合以下条件：

（一）在工商行政管理部门登记注册，具有法人资格；

（二）有良好的社会声誉、诚信记录和纳税记录；

（三）最近2年内无重大违法违规行为；

（四）财务状况良好，入股前上一年度盈利；

（五）年终分配后，净资产达到全部资产的10%以上（合并会计报表口径）；

（六）入股资金来源真实合法，不得以借贷资金入股，不得以他人委托资金入股；

（七）有较强的经营管理能力和资金实力；

（八）银监会规定的其他审慎性条件。

拟入股的企业法人属于重组改制的，重组改制后，该企业主营业务、主要控制人等未发生重大变化的，其重组改制前的经营年限及业绩可连续计算。

第三十五条　村镇银行最大股东或惟一股东必须是银行业金融机构。最大股东持股比例不得低于村镇银行股本总额的20%，单个自然人股东及关联方持股比例不得超过村镇银行股本总额的10%，单一非银行金融机构或单一非金融机构企业法人及其关联方持股比例不得超过村镇银行股本总额的10%。

第三十六条　村镇银行设立须经筹建和开业两个阶段。

设立村镇银行应成立筹建工作小组,村镇银行发起人应当委托筹建工作小组作为申请人。筹建一人有限责任公司的村镇银行,由出资人作为申请人或经出资人授权的筹建工作组作为申请人。

第三十七条 村镇银行的筹建申请,由银监分局或所在城市银监局受理,银监局审查并决定。银监局自收到完整申请材料或受理之日起4个月内作出批准或者不批准的书面决定。

第三十八条 村镇银行的筹建期为自批准之日起6个月。未能按期完成筹建工作的,申请人应当在筹建期限届满前1个月向银监局提交筹建延期申请。银监局在收到书面申请之日起20日内作出是否批准延期的决定。筹建延期的最长期限为3个月。

申请人应在前款规定的期限届满前提交开业申请,逾期未提交的,筹建批准文件失效,由决定机关办理筹建许可注销手续。

第三十九条 村镇银行的开业申请,由银监分局或所在城市银监局受理、审查并决定。银监分局或银监局自受理之日起2个月内作出核准或者不予核准的书面决定。

第四十条 村镇银行应在收到开业核准文件并领取金融许可证后,到工商行政管理部门办理登记,领取营业执照。

村镇银行自领取营业执照之日起6个月内应当开业。未能按期开业的,申请人应当在开业期限届满前1个月向决定机关提交开业延期申请。决定机关在收到书面申请之日起20日内作出是否批准延期的决定。开业延期的最长期限为3个月。

村镇银行未在前款规定时限内开业的,原开业核准文件失效,由决定机关办理开业许可注销手续,收回其金融许可证,并予以公告。

第四节 贷款公司设立

第四十一条 在县(市)及其以下地区设立贷款公司应当符合以下条件:

(一)有符合规定的章程;

(二)注册资本为实缴资本,最低限额为50万元人民币;

(三)有具备任职专业知识和业务工作经验的高级管理人员;

(四)有具备相应专业知识和从业经验的工作人员;

(五)有必需的组织机构和管理制度;

(六)有符合要求的营业场所、安全防范措施和与业务有关的其他设施。

第四十二条 设立贷款公司,还应当符合其他审慎性条件,至少包括:

(一)有良好的公司治理结构;

(二)有科学有效的人力资源管理制度,有高素质的专业人才;

（三）具备有效的资本约束和补充机制。

第四十三条 设立贷款公司，应当有符合以下条件的出资人：

（一）出资人为境内外商业银行或农村合作银行；

（二）资产规模不低于 50 亿元人民币；

（三）公司治理良好，内部控制健全有效；

（四）主要审慎监管指标符合监管要求；

（五）银监会规定的其他审慎性条件。

第四十四条 贷款公司由单个境内外商业银行或农村合作银行全额出资设立。

第四十五条 贷款公司设立须经筹建和开业两个阶段。

贷款公司的申请人应当是出资人，或是经出资人授权的筹建工作小组。

第四十六条 贷款公司的筹建申请，由银监分局或所在城市银监局受理，银监局审查并决定。银监局自收到完整申请材料或受理之日起 4 个月内作出批准或者不批准的书面决定。

第四十七条 贷款公司的筹建期为自批准决定之日起 6 个月。未能按期完成筹建工作的，申请人应当在筹建期限届满前 1 个月向银监局提交筹建延期申请。银监局在收到书面申请之日起 20 日内作出是否批准延期的决定。筹建延期的最长期限为 3 个月。

申请人应在前款规定的期限届满前提交开业申请，逾期未提交的，筹建批准文件失效，由决定机关办理筹建许可注销手续。

第四十八条 贷款公司的开业申请，由银监分局或所在城市银监局受理、审查并决定。银监分局或银监局自受理之日起 2 个月内作出核准或者不予核准的书面决定。

第四十九条 贷款公司应在收到开业核准文件并领取金融许可证后，到工商行政管理部门办理登记，领取营业执照。

贷款公司自领取营业执照之日起 6 个月内应当开业。未能按期开业的，申请人应当在开业期限届满前 1 个月向决定机关提交开业延期申请。决定机关在收到书面申请之日起 20 日内作出是否批准延期的决定。开业延期的最长期限为 3 个月。

贷款公司未在前款规定时限内开业的，原开业核准文件失效，由决定机关办理开业许可注销手续，收回其金融许可证，并予以公告。

第五节　农村信用合作联社设立

第五十条 设立县（市、区）农村信用合作联社应当符合以下条件：

（一）有符合规定的章程；

（二）在农村信用合作社及其联合社全部自愿的基础上，以发起方式重组改制设立；

（三）注册资本为实缴资本，最低限额为300万元人民币；

（四）按股份合作制设立的，投资股占股本总额的比例不低于30%；按股份制设立的，股权按《公司法》设置；

（五）有符合任职资格条件的理事、高级管理人员和熟悉银行业务的合格从业人员；

（六）有健全的组织机构和管理制度；

（七）有符合要求的营业场所，安全防范设施和与业务有关的其他设施；

（八）有健全的内部控制，风险管理体系和良好的公司治理；

（九）没有地方人民政府财政资金入股；

（十）银监会规定的其他审慎性条件。

投资股占股本总额的比例，各银监局根据实际情况可以做适当调整。

第五十一条 在经济发达、城乡一体化、农业产业化程度较高、农业产值占比较低，或当地经济欠发达、经济总量小、产业单一的地市设立农村信用合作联社，除应符合第五十条（一）、（二）、（五）、（六）、（七）、（八）、（九）、（十）外，还应符合以下条件：

（一）在辖区内农村信用合作社及其联合社、县（市、区）农村信用合作联社全部自愿基础上，以发起方式重组改制设立；

（二）注册资本为实缴资本，最低限额为1亿元人民币，且能够满足自身和分支机构的营运需求；

（三）资本充足率2%以上，且能够满足开业后2年内风险资产扩张对资本的要求；

（四）按股份合作制设立的，投资股占股本总额的比例不低于60%；按股份制设立的，股权按《公司法》设置；

（五）按照全辖合并财务报表统算，不良贷款比例不超过15%；

（六）按照全辖合并财务报表统算，近2年连续盈利。

设立地市农村信用合作联社要确保县域支农服务，严格控制数量，成熟一家组建一家。

第五十二条 设立农村信用合作联社应当有符合条件的发起人，发起人包括：自然人、境内非金融机构、境内金融机构、境外金融机构和银监会认可的其他发起人。

发起人应当符合本办法第十条、第十二条、第十三条、第十四条、第十五条、第十六条和第十七条的规定。

单个自然人投资农村信用合作联社，入股比例不得超过股本总额的2%，职工

88

自然人合计投资入股比例不得超过农村信用合作联社股本总额的20%。

省(区、市)农村信用社联合社、地市农村信用合作社联合社不得向农村信用合作联社入股。

第五十三条 农村信用合作联社设立须经筹建和开业两个阶段。

设立农村信用合作联社应当成立筹建工作小组,农村信用合作联社发起人应当委托筹建工作小组作为申请人。

第五十四条 县(市、区)农村信用合作联社的筹建申请,由银监分局或所在城市银监局受理,银监局审查并决定。银监局自收到完整申请材料或直接受理之日起4个月内作出批准或者不批准的书面决定。

地市农村信用合作联社的筹建申请,由银监局受理并初步审查,银监会审查并决定。银监会自收到完整申请材料之日起4个月内作出批准或者不批准的书面决定。

第五十五条 农村信用合作联社的筹建期为自批准决定之日起6个月。

县(市、区)农村信用合作联社未能按期完成筹建工作的,申请人应当在筹建期限届满前1个月向银监局提交筹建延期申请。银监局在收到书面申请之日起20日内作出是否批准延期的决定,筹建延期的最长期限为3个月。

地市农村信用合作联社未能按期完成筹建工作的,申请人应当在筹建期限届满前1个月向银监会提交筹建延期申请。银监会在收到书面申请之日起20日内作出是否批准延期的决定,筹建延期的最长期限为3个月。

申请人应在前款规定的期限届满前提交开业申请,逾期未提交的,筹建批准文件失效,由决定机关办理筹建许可注销手续。

第五十六条 县(市、区)农村信用合作联社的开业申请,由银监分局或所在城市银监局受理、审查并决定。银监分局或银监局自受理之日起2个月内作出核准或者不予核准的书面决定。

地市农村信用合作联社的开业申请,由银监局受理并初步审查,银监会审查并决定。银监会自收到完整申请材料之日起2个月内作出核准或者不核准的书面决定。

第五十七条 农村信用合作联社应在收到开业核准文件并领取金融许可证后,到工商行政管理部门办理登记,领取营业执照。

农村信用合作联社自领取营业执照之日起6个月内应当开业。未能按期开业的,申请人应当在开业期限届满前1个月向决定机关提交开业延期申请。决定机关在收到书面申请之日起20日内作出是否批准延期的决定。开业延期的最长期限为3个月。

农村信用合作联社未在前款规定时限内开业的,原开业核准文件失效,由决定机关办理开业许可注销手续,收回其金融许可证,并予以公告。

第六节 农村资金互助社设立

第五十八条 设立农村资金互助社应当符合以下条件：

（一）有符合规定的章程；

（二）以发起方式设立且发起人不少于10人；

（三）注册资本为实缴资本，在乡（镇）设立的，最低限额为30万元人民币；在行政村设立的，最低限额为10万元人民币；

（四）有符合任职资格的理事、经理和具备从业条件的工作人员；

（五）有必需的组织机构和管理制度；

（六）有符合要求的营业场所，安全防范设施和与业务有关的其他设施；

（七）银监会规定的其他审慎性条件。

第五十九条 设立农村资金互助社应当有符合条件的发起人，发起人包括：乡（镇）、行政村的农民和农村小企业。

第六十条 农民作为发起人，应当符合以下条件：

（一）具有完全民事行为能力；

（二）户口所在地或经常居住地（本地有固定住所且居住满3年）在农村资金互助社所在乡（镇）或行政村内；

（三）入股资金来源真实合法，不得以借贷资金入股，不得以他人委托资金入股；

（四）诚实守信，声誉良好；

（五）银监会规定的其他审慎性条件。

第六十一条 农村小企业作为发起人，应当符合以下条件：

（一）注册地或主要营业场所在农村资金互助社所在乡（镇）或行政村内；

（二）具有良好的信用记录；

（三）上一年度盈利；

（四）年终分配后净资产达到全部资产的10%以上（合并会计报表口径）；

（五）入股资金来源真实合法，不得以借贷资金入股，不得以他人委托资金入股；

（六）银监会规定的其他审慎性条件。

第六十二条 单个农民或单个农村小企业向农村资金互助社入股，其持股比例不得超过农村资金互助社股金总额的10%。

第六十三条 农村资金互助社设立须经筹建与开业两个阶段。

设立农村资金互助社应当成立筹建工作小组，农村资金互助社发起人应当委托筹建工作小组作为申请人。

第六十四条 农村资金互助社的筹建申请，由银监分局或所在城市银监局受理,银监局审查并决定。银监局自收到完整申请材料或受理之日起 4 个月内作出批准或者不批准的书面决定。

第六十五条 农村资金互助社的筹建期为自批准决定之日起 6 个月。未能按期完成筹建工作的,申请人应当在筹建期限届满前 1 个月向银监局提交筹建延期申请。银监局在收到书面申请之日起 20 日内作出是否批准延期的决定。筹建延期的最长期限为 3 个月。

申请人应在前款规定的期限届满前提交开业申请,逾期未提交的,筹建批准文件失效,由决定机关办理筹建许可注销手续。

第六十六条 农村资金互助社的开业申请,由银监分局或所在城市银监局受理、审查并决定。银监分局或银监局自受理之日起 2 个月内作出核准或不予核准的书面决定。

第六十七条 农村资金互助社应在收到开业核准文件并领取金融许可证后,到工商行政管理部门办理登记,领取营业执照。

农村资金互助社自领取营业执照之日起 6 个月内应当开业。未能按期开业的,申请人应当在开业期限届满前 1 个月向决定机关提交开业延期申请。决定机关在收到书面申请之日起 20 日内作出是否批准延期的决定。开业延期的最长期限为 3 个月。

农村资金互助社未在前款规定时限内开业的,原开业核准文件失效,由决定机关办理开业许可注销手续,收回其金融许可证,并予以公告。

第三章 分支机构设立

第一节 支 行 设 立

第六十八条 农村商业银行、农村合作银行、村镇银行在注册地辖区内设立支行,申请人应当符合以下条件:

(一)公司治理良好,内部控制制度健全有效,最近 1 年未发生重大违法违规行为;

(二)监管评级在三级以上;

(三)具有拨付营运资金的能力,其中农村商业银行、农村合作银行拨付支行的营运资金不低于 100 万元人民币,拨付各分支机构营运资金总额不得超过申请人资本总额的 60%;村镇银行应拨付与支行经营规模相适应的营运资金;

(四)资产质量良好,不良贷款比例低于 5%;

(五)资本充足率不低于 8%,核心资本充足率不低于 4%;

(六)有符合任职资格条件的高级管理人员和熟悉银行业务的合格从业人员;

（七）有符合要求的营业场所、安全防范措施和与业务有关的其他设施；

（八）银监会规定的其他审慎性条件。

第六十九条 农村商业银行、农村合作银行在注册地辖区以外的县（市）设立支行（以下简称异地支行），除应具备第六十八条（一）、（三）、（四）、（五）、（六）、（七）条件外，还应符合以下条件：

（一）监管评级在二级以上；

（二）资产总额不少于50亿元人民币；

（三）注册资本不低于5亿元人民币；

（四）具有拨付营运资金的能力，拨付营运资金不低于100万元人民币，拨付各分支机构营运资金总额不得超过申请人资本总额的60%；

（五）按规定提足呆账准备；

（六）最近3个会计年度连续盈利，资产利润率不低于0.6%，资本利润率不低于11%。

（七）银监会规定的其他审慎性条件。

第七十条 支行设立须经筹建和开业两个阶段。

第七十一条 农村商业银行、农村合作银行、村镇银行在注册地辖区内设立支行，其筹建方案由法人机构事后报告开业决定机关。

第七十二条 农村商业银行、农村合作银行、村镇银行注册地辖区内支行开业申请由法人机构提交，由银监分局或所在城市银监局受理、审查并决定。银监分局或银监局自受理之日起2个月内作出核准或者不予核准的书面决定。

第七十三条 农村商业银行、农村合作银行设立异地支行须经批准，且在一个省份一次只能申请设立1家异地支行。在收到不同意筹建的批复或获得开业核准后，申请人方可再行申请。

第七十四条 农村商业银行、农村合作银行异地支行筹建申请由法人机构提交，由拟设立支行所在地银监分局或所在城市银监局受理，银监局审查并决定。银监局自收到完整申请材料或直接受理之日起4个月内作出批准或者不批准的书面决定。

第七十五条 异地支行的筹建期为自批准决定之日起6个月。未能按期完成筹建工作的，申请人应当在筹建期限届满前1个月向决定机关提交延期申请，决定机关自收到完整申请材料或受理之日起20日内作出决定。筹建延期的最长期限为3个月。

申请人应在前款规定的期限届满前提交支行开业申请，逾期未提交的，筹建批准文件失效，由决定机关办理筹建许可注销手续。

第七十六条 农村商业银行、农村合作银行异地支行开业由法人机构提交申请，由拟设立支行所在地银监分局或所在城市银监局受理、审查并决定。银监分局或银监局自受理之日起2个月内作出核准或者不予核准的书面决定。

第七十七条 农村商业银行、农村合作银行设立异地支行的筹建、开业申请应同时抄送申请人所在地银监局及银监分局。筹建批准文件和开业核准文件应抄送申请人所在地银监局及银监分局。

第七十八条 申请人应在收到支行开业核准文件并领取金融许可证后,到工商行政管理部门办理登记,领取营业执照。在注册地辖区内设立的支行必须在取得公安、消防部门对安全、消防设施验收合格证明并报开业决定机关备案后方可开业。

支行自领取营业执照之日起6个月内应当开业。未能按期开业的,申请人应当在开业期限届满前1个月向决定机关提交开业延期申请。决定机关在收到书面申请之日起20日内作出是否批准延期的决定。开业延期的最长期限为3个月。

支行未在前款规定时限内开业的,原开业核准文件失效,由决定机关办理开业许可注销手续,收回其金融许可证,并予以公告。

第二节 分理处设立

第七十九条 农村商业银行、农村合作银行、村镇银行设立分理处,应当符合以下条件:

(一)公司治理良好,内部控制制度健全有效,最近1年未发生重大违法违规行为;

(二)具有拨付营运资金的能力,且拨付与分理处经营规模相适应的营运资金;

(三)资本充足率不低于8%;

(四)有熟悉业务的从业人员;

(五)有符合要求的营业场所、安全防范措施和与业务有关的其他设施;

(六)银监会规定的其他审慎性条件。

第八十条 分理处设立须经筹建和开业两个阶段。

筹建方案由法人机构事后报告开业决定机关。

开业申请由法人机构提交,由银监分局或所在城市银监局受理、审查并决定。银监分局或银监局自受理之日起2个月内作出核准或者不予核准的书面决定。

第八十一条 申请人应在收到开业核准文件并领取金融许可证后,到工商行政管理部门办理登记,领取营业执照。分理处必须在取得公安、消防部门对安全、消防设施验收合格证明并报开业决定机关备案后方可开业。

分理处自领取营业执照之日起6个月内应当开业。未能按期开业的,申请人应当在开业期限届满前1个月内向决定机关提交开业延期申请。决定机关在收到书面申请之日起20日内作出是否批准延期的决定。开业延期的最长期限为3个月。

分理处未在前款规定时限内开业的，原开业核准文件失效，由决定机关办理开业许可注销手续，收回其金融许可证，并予以公告。

第三节 贷款公司分公司设立

第八十二条 贷款公司可根据业务发展需要，在县域内设立分公司。设立分公司应符合以下条件：

（一）具有拨付营运资金的能力，且拨付与分公司经营规模相适应的营运资金；

（二）内部控制制度健全有效，最近1年未发生重大违法违规行为；

（三）资产质量良好，资本充足率不低于8%；

（四）有熟悉业务的工作人员；

（五）有符合要求的营业场所、安全防范措施和与业务有关的其他设施；

（六）银监会规定的其他审慎性条件。

第八十三条 贷款公司分公司的设立须经筹建和开业两个阶段。

筹建方案由法人机构事后报告开业决定机关。

贷款公司分公司的开业申请，由法人机构提交，由银监分局或所在城市银监局受理、审查并决定。银监分局或银监局自受理之日起2个月内作出核准或者不予核准的书面决定。

第八十四条 申请人应在收到分公司开业核准文件并领取金融许可证后，到工商行政管理部门办理登记，领取营业执照。贷款公司分公司必须在取得公安、消防部门对安全、消防设施验收合格证明并报开业决定机关备案后方可开业。

贷款公司分公司自领取营业执照之日起6个月内应当开业。未能按期开业的，申请人应当在开业期限届满前1个月向决定机关提交开业延期申请。决定机关在收到书面申请之日起20日内作出是否批准延期的决定。开业延期的最长期限为3个月。

贷款公司分公司未在前款规定时限内开业的，原开业核准文件失效，由决定机关办理开业许可注销手续，收回其金融许可证，并予以公告。

第四节 信用社、分社设立

第八十五条 农村信用合作联社设立信用社，农村信用合作社、县（市、区）农村信用合作社联合社、农村信用合作联社设立分社，申请人应当符合以下条件：

（一）风险管理和内部控制健全有效，最近1年内未发生重大违法违规行为；

（二）具有有效的管理信息系统；

（三）资本充足率、不良贷款比例、盈利能力等主要监管指标符合监管要求；

（四）具有拨付营运资金的能力，其中拨付单个信用社的营运资金最低不得少于50万元人民币，拨付单个分社的营运资金要与其经营规模相适应，拨付各分支机构营运资金总额不得超过资本金总额的60%；

（六）银监会规定的其他审慎性条件。

第八十六条 设立信用社、分社须经筹建和开业两个阶段。筹建方案由法人机构事后报告开业决定机关。

第八十七条 信用社、分社的开业申请，由法人机构提交，由银监分局或所在城市银监局受理、审查并决定。银监分局或银监局自受理之日起2个月内作出核准或者不予核准的书面决定。

第八十八条 申请人在收到开业核准文件、领取金融许可证后，到工商行政管理部门办理登记，领取营业执照。信用社、分社须在取得公安、消防部门对安全、消防设施验收合格证明并报开业决定机关备案后方可开业。

信用社、分社自领取营业执照之日起6个月内应当开业。未能按期开业的，申请人应当在开业期限届满前1个月向决定机关提交开业延期申请。决定机关在收到书面申请之日起20日内作出是否批准延期的决定。开业延期的最长期限为3个月。

信用社、分社未在前款规定时限内开业的，原开业核准文件失效，由决定机关办理开业许可注销手续，收回其金融许可证，并予以公告。

第五节　省（区、市）农村信用社联合社办事处设立

第八十九条 省（区、市）农村信用社联合社设立办事处，应当符合以下条件：

（一）符合高效低成本的原则；

（二）有符合任职资格条件的高级管理人员和熟悉银行业务的合格从业人员；

（三）有符合要求的办公场所；

（四）银监会规定的其他审慎性条件。

第九十条 省（区、市）农村信用社联合社办事处的设立申请，由法人机构提交，由所在地银监分局或所在城市银监局受理，银监局审查并决定。银监局自收到完整申请材料或直接受理之日起3个月内作出批准或者不批准的书面决定。

第九十一条 自银监局批准设立之日起3个月内，省（区、市）农村信用社联合社办事处应当设立。

办事处未在前款规定时限内设立的，原设立核准文件失效，由决定机关办理设立许可注销手续，并予以公告。

第六节　自助银行设立

第九十二条 自助银行是指农村商业银行、农村合作银行、村镇银行、农村信用合作社、县（市、区）农村信用合作社联合社和农村信用合作联社在其营业场所以外设立、具有独立营业场所，提供存取款、贷款、转账、货币兑换和查询等金融服务

功能的无人营业网点,但在商场、酒店、企事业单位等建筑物内放置的仅提供取款、转账、查询服务的自动取款机除外。

设立自助银行,应符合以下条件:

(一)具有健全的规章制度,内部控制能力较强,最近1年未发生重大违法违规行为;

(二)有开展自助银行服务的技术和人员;

(三)有符合要求的营业场所、安全防范措施和与业务有关的其他设施;

(四)银监会规定的其他审慎性条件。

第九十三条 自助银行的设立申请,由法人机构提交,自助银行拟设地银监分局或所在城市银监局受理、审查并决定。银监分局或银监局自受理之日起2个月内作出批准或者不批准的书面决定。

第九十四条 自助银行自批准之日起3个月内应当开业。未能按期开业的,申请人应当在设立期限届满前1个月向决定机关提交开业延期申请。决定机关在收到书面申请之日起20日内作出是否批准延期的决定。开业延期的最长期限为3个月。

自助银行未在前款规定时限内开业的,原开业批准文件失效,由决定机关办理开业许可注销手续。

自助银行开业后,其法人机构应及时向决定机关报告自助银行运营、内控管理和设施等情况。

第四章 机 构 变 更

第一节 法人机构变更

第九十五条 法人机构变更包括:变更名称,变更住所,变更组织形式,变更股权,变更注册资本,修改章程,分立,合并,收购和临时停业等。

第九十六条 法人机构变更名称,名称中应当标明"农村商业银行"、"农村合作银行"、"村镇银行"、"贷款公司"、"信用合作社"、"联合社"、"联社"和"农村资金互助社"等机构种类的字样,并符合惟一性和商誉保护原则。

法人机构变更名称,由银监分局或所在城市银监局受理、审查并决定。决定机关为银监分局的,事后报告银监局。

省(区、市)农村信用社联合社、直辖市农村合作银行和直辖市农村商业银行变更名称,由银监局受理、审查并决定,事后报告银监会。

第九十七条 法人机构变更住所,应当有符合要求的住所、安全防范措施和与业务有关的其他设施。

因行政区划调整等原因导致的行政区划、街道、门牌号等发生变化而实际位置未有变动的，应于变更后 15 日内报告属地监管机构。

法人机构变更住所行政许可权限适用于本办法第九十六条的规定。

法人机构因房屋维修等原因临时变更住所 6 个月以内，法人机构应在原住所、临时住所公告，并提前 10 日向当地银行业监管机构报告，临时住所应符合公安、消防部门的相关要求。回迁原住所，法人机构应提前 10 日将公安、消防部门对回迁住所出具的安全、消防合格证明等材料报告当地银行业监管机构，并予以公告。

第九十八条　农村中小金融机构变更组织形式，须按相关金融机构设立条件和程序申请行政许可。

其他金融机构变更组织形式改制为农村中小金融机构的，应按照农村中小金融机构设立的条件和程序申请行政许可。

第九十九条　农村中小金融机构股权变更，其拟受让人应符合本办法对同类机构规定的发起人（出资人）资格条件。

转让地市农村信用合作社联合社股权的，受让的单个农村商业银行、农村合作银行、县（市、区）农村信用合作社联合社和县（市、区）农村信用合作联社持股比例不得超过地市农村信用合作社联合社股本总额的 10%，入股金额不得超过其自身实收资本的 50%。

农村商业银行、农村合作银行、村镇银行、农村信用合作社、农村信用合作联社、农村信用合作社联合社和农村资金互助社变更持有资本总额或股份总额 5% 以上、10% 以下的股东（社员），由银监分局或所在城市银监局受理、审查并决定。

农村商业银行、农村合作银行、村镇银行、农村信用合作社、农村信用合作联社和农村资金互助社变更持有资本总额或股份总额 10% 以上、25% 以下的股东（社员），由银监分局或所在城市银监局受理，银监局审查并决定；变更 25% 以上的股东（社员），由银监局受理，银监会审查并决定。

省（区、市）农村信用社联合社变更持有资本总额或股份总额 5% 以上的社员由银监局受理、审查并决定。

第一百条　向境外金融机构转让股权应符合本办法第十五条和第十六条规定的发起人入股条件。

向境外金融机构转让股权由银监局受理并初步审查，银监会审查并决定。

第一百零一条　法人机构变更注册资本，其股东（社员）资格应符合本办法对同类机构规定的发起人（出资人）的条件。

省联社变更注册资本，由银监局受理，银监会审查并决定。其他法人机构变更注册资本，其行政许可权限适用本办法第九十六条的规定。涉及境外金融机构投资入股的，由银监局受理并初步审查，银监会审查并决定。

法人机构通过配股或定向募股方式变更注册资本的，在变更注册资本前还应经过配股或募集新股方案审批。方案的受理、审查和决定程序同前款规定。

第一百零二条　农村中小金融机构在境内公开募集股份和上市交易股份的，应当符合有关法律法规及中国证监会有关的规定条件。向中国证监会申请之前，应当向银监会申请并获得批准。

农村中小金融机构在境内公开募集股份和上市交易股份的，由银监局受理并初步审查，银监会审查并决定。

第一百零三条　法人机构修改章程行政许可权限适用于本办法第九十六条的规定。

法人机构名称、住所、股权、注册资本经银监会及其派出机构批准变更后，涉及修改章程内容的，法人机构应当在决定机关作出批准决定3个月之内，将修改后的章程报决定机关备案。

第一百零四条　法人机构分立、合并应当符合以下条件：

（一）农村合作银行、农村信用合作社、农村信用合作社联合社、农村信用合作联社、省（区、市）农村信用社联合社和农村资金互助社分立、合并应当参照《中华人民共和国公司法》等有关规定；农村商业银行、村镇银行、贷款公司分立、合并应当符合《中华人民共和国公司法》等有关规定；

（二）分立、合并后股东（社员）资格、股本结构以及有关监管指标符合审慎监管要求；

（三）设立法人机构的其他条件。

存续分立的，在分立公告期限届满后，存续方应按照变更事项的条件和程序通过行政许可；新设方应按照法人机构开业的条件和程序通过行政许可。

新设分立的，在分立公告期限届满后，新设方应按照法人机构开业的条件和程序通过行政许可；原法人机构应按照法人机构解散事项通过行政许可。

吸收合并的，在合并公告期限届满后，吸收合并方应按照变更事项的条件和程序通过行政许可；被吸收合并方应按照法人机构解散事项通过行政许可。被吸收合并方改建为分支机构的，应按照分支机构开业条件和程序通过行政许可。

新设合并的，在合并公告期限届满后，新设方应按照法人机构开业的条件和程序通过行政许可；原法人机构应按照法人机构解散事项通过行政许可。

第一百零五条　本节变更事项，由下级监管机关受理、报上级监管机关决定的，自上级监管机关收到完整申请材料之日起3个月内作出批准或不批准的书面决定；由同一监管机关受理、审查并决定的，自受理之日起3个月内作出批准或不批准的书面决定。

第一百零六条　法人机构本部连续停止营业时间3天以上6个月以内为临时停业。法人机构本部的临时停业由法人机构作为申请人。

法人机构本部临时停业，由银监分局或所在城市银监局受理、审查并决定。银监分局或银监局自受理之日起 10 日内作出批准或者不批准的书面决定。

经批准的临时停业期限届满或导致临时停业的原因消除的,临时停业机构应当复业,原申请人应在复业后 5 日内向决定机关报告。遇特殊情况需延长临时停业期限的,应按前款程序重新申请。

第二节　分支机构变更

第一百零七条　分支机构变更包括:变更名称,变更营业场所,临时变更营业场所,机构升格、降格,临时停业等。

第一百零八条　分支机构变更名称,名称中应标明"支行"、"分理处"、"分公司"、"自助银行"、"信用社"、"分社"、"储蓄所"和"办事处"机构性质的字样;名称应当符合惟一性和商誉保护原则。

第一百零九条　分支机构变更营业场所,应当有符合要求的营业场所、安全防范措施和与业务有关的其他设施。

第一百一十条　分支机构因房屋维修等原因临时变更营业场所 6 个月以内,适用于本办法第一百条规定。

第一百一十一条　储蓄所升格为分社应当符合分社设立条件,储蓄所、分社升格为信用社应当符合信用社设立条件,农村商业银行、农村合作银行、村镇银行的分支机构升格应当符合支行或分理处设立条件。

第一百一十二条　分支机构降格不需行政许可,但应事后报告决定机关。因分支机构降格导致的其他变更事项比照有关规定办理。

第一百一十三条　分支机构的变更由法人机构提出申请,由所在地银监分局或所在城市银监局受理、审查并决定。银监分局或银监局自受理之日起 3 个月内作出批准或者不批准的书面决定。

第一百一十四条　分支机构连续停止营业时间 3 天以上 6 个月以内为临时停业。分支机构的临时停业由法人机构作为申请人。

分支机构临时停业的行政许可权限和期限适用于本办法第一百零六条规定。

第五章　机 构 终 止

第一节　法人机构终止

第一百一十五条　法人机构有下列情形之一的,应当申请解散:

(一)章程规定的营业期限届满或者章程规定其他的解散事由出现时;

(二)权力机构决议解散的;

(三)因分立、合并需要解散的。

村镇银行、贷款公司、农村信用合作社、县(市、区)农村信用合作社联合社、县(市、区)农村信用合作联社、农村资金互助社解散，由银监分局或所在城市银监局受理，银监局审查并决定。银监局自收到完整申请材料或直接受理之日起3个月内作出批准或者不批准的书面决定。

农村商业银行、农村合作银行、地市农村信用合作社联合社、地市农村信用合作联社和省(区、市)农村信用社联合社解散，由银监局受理并初步审查，银监会审查并决定。银监会自收到完整申请材料之日起3个月内作出批准或者不批准的书面决定。

法人机构因分立、合并出现解散情形的，与分立、合并一并进行审批。

第一百一十六条 法人机构有下列情形之一的，在向法院申请破产前，应当向银监会申请并获得批准：

(一)不能支付到期债务，自愿或应其债权人要求申请破产的；

(二)因解散而清算，清算组发现机构财产不足以清偿债务，应当申请破产的。

农村中小金融机构申请破产的，由银监局受理并初步审查，银监会审查并决定。银监会自收到完整申请材料之日起3个月内作出批准或者不批准的书面决定。

第二节 分支机构终止

第一百一十七条 分支机构终止营业(被依法撤销除外)，其法人机构应当提交终止营业申请。

第一百一十八条 分支机构终止营业申请，由分支机构所在地银监分局或所在城市银监局受理、审查并决定。银监分局或银监局自受理之日起3个月内作出批准或者不批准的书面决定。

农村商业银行、农村合作银行异地支行终止批准文件应抄送法人机构所在地银监局及银监分局。

第六章 调整业务范围和增加业务品种

第一节 开办外汇业务和增加外汇业务品种

第一百一十九条 申请开办外汇业务(结售汇业务除外)和增加外汇业务品种，应当符合以下条件：

(一)依法合规经营，内控制度健全有效，经营状况良好；

(二)资本充足率不低于8%，核心资本充足率不低于4%；

(三)有与申报外汇业务相应的外汇营运资金和合格的外汇业务从业人员；

（四）有符合开展外汇业务要求的营业场所和相关设施；

（五）最近1年未发生重大违法违规行为；

（六）银监会规定的其他审慎性条件。

第一百二十条 申请开办外汇业务和增加外汇业务品种，由银监分局或所在城市银监局受理，银监局审查并决定。

第二节 募集次级定期债务和发行次级债券

第一百二十一条 申请募集次级定期债务和以私募方式发行次级债券，应具备下列条件：

（一）贷款分类结果真实准确；

（二）核心资本充足率不低于4%；

（三）贷款损失准备计提充足；

（四）有良好的公司治理结构；

（五）最近1年未发生重大违法违规行为；

（六）银监会规定的其他审慎性条件。

公开发行次级债券应符合前款第一、三、四、五项条件，且核心资本充足率不低于5%。

第一百二十二条 申请募集次级定期债务和申请发行次级债券，由银监局受理并初步审查，银监会审查并决定。

第三节 开办衍生产品交易业务

第一百二十三条 农村商业银行、农村合作银行、村镇银行和农村信用合作联社申请开办衍生产品交易业务，应符合以下条件：

（一）经营状况良好，主要风险监管指标符合要求；

（二）有健全的衍生产品交易风险管理制度和内部控制制度；

（三）具备完善的衍生产品交易前、中、后台自动联接的业务处理系统和实时的风险管理系统；

（四）衍生产品交易业务主管人员应当具备5年以上直接参与衍生交易活动和风险管理的资历，且无不良记录；

（五）具有从事衍生产品或相关交易2年以上、接受相关衍生产品交易技能专门培训半年以上的交易人员至少2名，相关风险管理人员至少1名，风险模型研究人员或风险分析人员至少1名，以上人员均需专岗人员，相互不得兼任，且无不良记录；

（六）有符合要求的交易场所和设备；

（七）银监会规定的其他审慎性条件。

第一百二十四条 申请开办衍生金融产品交易业务,由银监局受理并初步审查,银监会审查并决定。

第四节 发行贷记卡

第一百二十五条 申请发行贷记卡应当符合以下条件:

(一)经营状况良好,主要风险监管指标符合要求;

(二)有符合要求的风险管理和内部控制制度;

(三)有保障信息安全的技术能力及安全、高效的计算机处理系统;

(四)有合格的技术人员、管理人员和相应的管理机构;

(五)银监会规定的其他审慎性条件。

发行外币卡还应当符合外汇管理的有关规定。

第一百二十六条 农村商业银行、农村合作银行、村镇银行、贷款公司、农村信用合作社、县(市、区)农村信用合作社联合社和农村信用合作联社申请开办贷记卡业务,由银监分局或所在城市银监局受理,银监局审查并决定。

省(区、市)农村信用社联合社、地市农村信用合作社联合社可接受辖内农村商业银行、农村合作银行、农村信用合作社、农村信用合作社联合社和农村信用合作联社外包委托,申请统一贷记卡品牌。

地市农村信用合作社联合社申请统一贷记卡品牌,由银监分局或所在城市银监局受理,银监局审查并决定。

省(区、市)农村信用社联合社申请统一贷记卡品牌,由银监局受理并初步审查,银监会审查并决定。

第五节 开办证券投资基金托管业务

第一百二十七条 申请开办证券投资基金托管业务应当符合以下条件:

(一)最近3个会计年度的年末净资产均不低于20亿元人民币,资本充足率符合监管部门的有关规定;

(二)设有专门的基金托管部门,并与其他业务部门保持独立;

(三)基金托管部门拟任高级管理人员符合法定条件,拟从事基金清算、核算、投资监督、信息披露、内部稽核监控等业务的执业人员不少于5人,并具有基金从业资格;

(四)有安全保管基金财产的条件:

1.有从事基金托管业务的设备与设施;

2.每只基金单独建账,基金资产完整、独立;

3.将所托管的基金资产与自有资产严格分开保管;

4.依法监督基金管理人的投资运作;

5. 依法执行基金管理人的指令,处理、分配基金资产;

6. 依法复核、审查基金管理人计算的基金资产净值、基金份额净值和申购、赎回价格;

7. 妥善保管基金托管业务活动的记录、账册、报表等相关资料;

8. 有健全的托管业务制度。

(五)有安全高效的清算、交割系统:

1. 系统内证券交易结算资金在两小时内汇划到账;

2. 从交易所安全接收交易数据;

3. 与基金管理人、基金注册登记机构、证券登记结算机构等相关业务机构的系统安全对接;

4. 依法执行基金管理人的投资指令,及时办理清算、交割事宜。

(六)基金托管部门有满足营业需要的固定场所,配备独立的安全监控系统:

1. 基金托管部门的营业场所相对独立,配备门禁系统;

2. 接触到基金交易数据的业务岗位有单独的办公用房;

3. 有完善的基金交易数据保密制度;

4. 有安全的基金托管业务数据备份系统;

5. 有基金托管业务的应急处理方案,具备应急处理能力。

(七)基金托管部门配备独立的托管业务技术系统,包括网络系统、应用系统、安全防护系统、数据备份系统;

(八)有完善的内部稽核监控制度和风险控制制度;

(九)最近 1 年无重大违法违规行为;

(十)法律、行政法规规定的和经国务院批准的证监会、银监会规定的其他条件。

第一百二十八条 申请开办证券投资基金托管业务,由证监会受理、证监会和银监会联合审查并决定。

第一百二十九条 银监会应当自收到证监会的会签件之日起 20 日内,作出核准或不予核准的决定并通知证监会;银监会作出不予核准决定的,应当在通知中说明理由。

第六节 开办离岸银行业务

第一百三十条 申请开办离岸银行业务应当符合以下条件:

(一)最近 1 年无重大违法违规行为;

(二)达到规定的外汇资产规模,且外汇业务经营业绩良好;

(三)外汇从业人员符合开展离岸银行业务要求,且在以往经营活动中无不良记录,其中主管人员应从事外汇业务 5 年以上,其他从业人员中至少 50% 应从事外

汇业务 3 年以上;

(四)风险管理和内控制度健全有效;

(五)有符合开展离岸业务的场所和设施;

(六)银监会规定的其他审慎性条件。

第一百三十一条 申请开办离岸银行业务,由银监局受理并初步审查,银监会审查并决定。

第七节 开办股票质押贷款业务

第一百三十二条 申请开办股票质押贷款业务应当符合以下条件:

(一)经营状况良好,主要风险监管指标符合要求;

(二)风险管理和内部控制制度健全有效,制定和实施了统一授信制度;

(三)制定了与该项业务有关的风险控制措施和业务操作流程;

(四)有专职部门和人员负责经营和管理股票质押贷款业务;

(五)有专门的业务管理信息系统,能同步了解股票市场行情以及上市公司重要信息;

(六)银监会规定的其他审慎性条件。

第一百三十三条 开办股票质押贷款业务的申请,由银监分局或所在城市银监局受理,银监局审查并决定。

第八节 申请开办其他业务

第一百三十四条 申请开办现行法规明确规定的其他业务和品种的,由银监分局或所在城市银监局受理,银监局审查并决定。

第一百三十五条 申请开办现行法规未明确规定的业务和品种的,由银监会另行规定。

第一百三十六条 本章业务事项,由下级监管机关受理、报上级监管机关决定的,自上级监管机关收到完整申请材料之日起 3 个月内作出批准或不批准的书面决定;由同一监管机关受理、审查并决定的,自受理之日起 3 个月内作出批准或不批准的书面决定。

第七章 董事(理事)和高级管理
人员任职资格许可

第一节 任职资格条件

第一百三十七条 农村商业银行、农村合作银行、村镇银行董事长、副董事长、独立董事、其他董事及董事会秘书;农村信用合作社、农村信用合作社联合社、农村信用合作联社、省(区、市)农村信用社联合社、农村资金互助社理事长、副理事长、独立理事及其他理事须经任职资格许可。

农村商业银行、农村合作银行、村镇银行的行长、副行长、首席执行官、首席运营官、首席风险控制官、首席技术官、财务总监、行长助理、营业部总经理(主任)、总审计师、总会计师、内审负责人、财务负责人和合规负责人;贷款公司总经理;农村信用合作社主任;农村信用合作社联合社、农村信用合作联社主任、副主任和营业部主任;省(区、市)农村信用社联合社主任、副主任、合规部门负责人、办事处主任和副主任;农村资金互助社经理;农村商业银行、农村合作银行、村镇银行支行行长;县(市、区)农村信用合作联社信用社主任,地市农村信用合作联社信用社主任、副主任等高级管理人员须经任职资格许可。

未担任上述职务,但其工作职责包括履行前二款所列董事(理事)和高级管理人员职责的,应按银监会认定的同类人员纳入任职资格管理。

第一百三十八条　农村中小金融机构拟任董事(理事)和高级管理人员应符合下列基本的任职资格条件:

(一)有完全民事行为能力;

(二)具有良好的守法合规记录,具有良好的品行、声誉;

(三)具有担任金融机构董事(理事)、高级管理人员职务所需的相关知识、经验及能力,具有良好的经济、金融从业记录;

(四)个人及家庭财务稳健;

(五)具有担任金融机构董事(理事)、高级管理人员职务所需的独立性;

(六)银监会按照审慎监管原则确定的其他条件。

第一百三十九条　农村中小金融机构拟任董事(理事)、高级管理人员不符合本办法第一百三十八条第(二)项、第(三)项条件的情形包括:

(一)有故意或重大过失犯罪记录的;

(二)担任或曾任被接管、撤销、宣告破产或吊销营业执照的机构的董事(理事)或高级管理人员的;

(三)违反职业道德、操守或者工作严重失职造成重大损失或者恶劣影响的;

(四)指使、参与所任职机构对抗依法监管或案件查处,情节严重的;

(五)受到监管机构或其他金融监管当局处罚累计达到两次的;

(六)有本办法规定的不符合任职资格条件的情形,但采用不正当手段企图获得任职资格核准的;

(七)银监会按照实质重于形式原则确定的未达到农村中小金融机构董事(理事)、高级管理人员在品行、声誉、知识、经验、能力方面最低监管要求的其他情形。

前款第(二)项中能够证明本人没有过错的除外。

第一百四十条　农村中小金融机构拟任董事（理事）、高级管理人员不符合本办法第一百三十八条第（四）项、第（五）项条件的情形包括：

　　（一）本人或其配偶负有数额较大的债务且未能按期偿还的；

　　（二）本人或其配偶不能按期偿还从该金融机构处获得的贷款；

　　（三）本人、其配偶或本人三代以内直系血亲持有该金融机构5%以上股份或股权，且从该金融机构获得的贷款明显超过其持有的该金融机构股权净值；

　　（四）本人或其配偶在持有该金融机构5%以上股份或股权的股东单位任职，且该股东从该金融机构获得的贷款明显超过其持有的该金融机构股权净值；

　　（五）在其他经济组织任职，且所任职务与其在该金融机构拟任职务存在明显利益冲突或明显分散其在该金融机构履职时间和精力；

　　（六）银监会按照实质重于形式原则确定的未达到农村中小金融机构董事（理事）、高级管理人员在财务状况、独立性方面最低监管要求的其他情形。

　　前款第（四）项中能够证明贷款与本人及其配偶没有关系的除外。

　　第一百四十一条　除第一百三十九条、第一百四十条规定的情形外，农村中小金融机构拟任的独立董事（独立理事）不符合任职资格条件的情形还包括：

　　（一）本人或其近亲属持有该金融机构1%以上股份或股权；

　　（二）本人或其近亲属在持有该金融机构1%以上股份或股权的股东单位任职；

　　（三）本人或其近亲属在该金融机构、该金融机构控股或者实际控制的机构任职；

　　（四）本人或其近亲属在不能按期偿还该金融机构贷款的机构任职；

　　（五）本人或其近亲属任职的机构与本人拟任职金融机构之间存在法律、会计、审计、管理咨询等方面的业务联系或债权债务等方面的利益关系；

　　（六）本人或其近亲属可能被拟任职金融机构大股东、高管层控制或施加重大影响，以致于妨碍其履职独立性的其他情形；

　　（七）银监会按照实质重于形式原则确定的未达到农村中小金融机构独立董事（理事）在独立性方面最低监管要求的其他情形。

　　前款所称近亲属包括夫妻、父母、子女、祖父母、外祖父母、兄弟姐妹。

　　前两款所列情形中能够证明不会影响本人履职独立性的除外。

　　国家机关工作人员不得兼任农村中小金融机构独立董事（理事）。独立董事（理事）在同一家农村中小金融机构任职不得超过3年。3年期满，可以继续担任该农村中小金融机构董事（理事），但不得再担任独立董事（理事）。

　　第一百四十二条　农村中小金融机构拟任的董事（理事）还应符合以下条件：

　　（一）具备有利于履行董事（理事）职责的工作经历；

　　（二）能够运用金融机构的财务报表和统计报表判断金融机构的经营管理和风

险状况；

（三）了解拟任职机构的公司治理结构、章程以及董事（理事）会职责。

农村资金互助社理事不适用本条规定。

第一百四十三条 农村中小金融机构拟任的董事长（理事长）、副董事长（副理事长）、独立董事（独立理事）和董事会秘书还应分别达到下列学历和从业年限要求：

（一）拟任农村商业银行、农村合作银行董事长、副董事长，省（区、市）农村信用社联合社理事长、副理事长，地市农村信用合作社联合社、地市农村信用合作联社理事长、副理事长，应具备本科以上学历，从事金融工作6年以上，或从事相关经济工作10年以上（其中从事金融工作3年以上）；

（二）拟任县（市、区）农村信用合作社联合社、县（市、区）农村信用合作联社理事长、副理事长，农村商业银行、农村合作银行董事会秘书，应具备大专以上学历，从事金融工作6年以上，或从事相关经济工作10年以上（其中从事金融工作3年以上）；

（三）拟任村镇银行董事长、执行董事，应具备大专以上学历，从事金融工作5年以上，或者从事相关经济工作8年以上（其中从事金融工作2年以上）；

（四）拟任农村信用合作社理事长、副理事长，应具备中专以上学历，从事金融工作4年以上，或从事相关经济工作8年以上（其中从事金融工作2年以上）；

（五）拟任农村资金互助社理事长，应具备高中或中专以上学历；

（六）拟任独立董事（独立理事），应具备本科以上学历或中级以上职称，具有5年以上的法律、经济、金融、财务或其他有利于履行独立董事（理事）职责的工作经历。

第一百四十四条 农村中小金融机构拟任的高级管理人员应当了解拟任职职务的职责，熟悉同类型机构的管理框架、盈利模式，熟知同类型机构的内控制度，具备与拟任职务相适应的风险管理能力。

第一百四十五条 农村中小金融机构高级管理人员还应分别达到下列学历和从业年限要求：

（一）拟任农村商业银行、农村合作银行行长、副行长、首席执行官、首席运营官、首席风险控制官、首席技术官、财务总监，省（区、市）农村信用社联合社主任、副主任，地市农村信用合作社联合社和地市农村信用合作联社主任、副主任，省（区、市）农村信用社联合社办事处主任、副主任，应具备本科以上学历，从事金融工作6年以上，或从事相关经济工作10年以上（其中从事金融工作3年以上）；

（二）拟任县（市、区）农村信用合作社联合社、县（市、区）农村信用合作联社主任、副主任，地市农村信用合作联社信用社主任、副主任，农村合作银行和农村商业银行行长助理，应具备大专以上学历，从事金融工作6年以上，或从事相关经济工作 10 年以上（其中从事金融工作 3 年以上）；

（三）拟任农村信用合作社主任、县（市、区）农村信用合作联社信用社主任，应具备中专以上学历，从事金融工作 4 年以上，或从事相关经济工作 8 年以上（其中从事金融工作 2 年以上）；

（四）拟任村镇银行行长、副行长、首席执行官、首席运营官、首席风险控制官、首席技术官、财务总监，贷款公司总经理，应具备大专以上学历，从事金融工作 5 年以上，或者从事相关经济工作 8 年以上（其中从事金融工作 2 年以上）；

（五）拟任农村商业银行、农村合作银行总审计师、总会计师、内审负责人、财务负责人，应具备大专以上学历，取得国家或国际认可会计、审计专业技术中级职称或通过国家或国际认可的会计、审计专业技术资格考试（中级），并从事财务、会计或审计工作 6 年以上；

（六）拟任村镇银行总审计师、总会计师、内审负责人、财务负责人、合规负责人，应具备大专以上学历，取得国家或国际认可会计、审计专业技术中级职称或通过国家或国际认可的会计、审计专业技术资格考试（中级），并从事财务、会计或审计工作 5 年以上；

（七）拟任县（市、区）农村信用合作社联合社、县（市、区）农村信用合作联社、地市农村信用合作联社信用社、农村商业银行、农村合作银行营业部主任（总经理），应具备大专以上学历，从事金融工作 6 年以上，或从事相关经济工作 10 年以上（其中从事金融工作 3 年以上）；

（八）拟任省（区、市）农村信用社联合社、农村商业银行、农村合作银行合规部门负责人，应具备本科以上学历，并从事金融工作 4 年以上；

（九）拟任农村商业银行、农村合作银行和村镇银行支行行长，应具备大专以上学历，从事金融工作 4 年以上，或从事相关经济工作 8 年以上（其中从事金融工作 2 年以上）；

（十）拟任农村资金互助社经理，应具备高中或中专以上学历。

第一百四十六条　本办法中学历是指取得国家教育主管部门批准具有举办学历教育资格的普通高等学校（含培养研究生的科研单位）、成人高等学校、民办学历学校所颁发的学历证书，或者通过自学考试，取得由国务院自学考试委员会授权各省（区、市）自学考试委员会颁发的自学考试毕业证书，或者通过在国家教育主管部门批准的党校、成人高校、军事院校设立的全日制普通班中就读取得的毕业证书，或者取得由学历文凭考试学校颁发的毕业证书，或者参加由普通高校以远程教育形式举办的高等学历教育并取得毕业证书，或者取得符合《中国人民解放军院校学历证书管理暂行规定》的学历证书。拟任人未取得上述学历证书或毕业证书，但符合以下条件的，视同达到相应学历要求：

（一）取得国家教育主管部门认可院校授予的学士以上学位；

（二）取得注册会计师、注册审计师或与拟任职务相关的高级专业技术职务资格的，视同达到相应学历要求，其任职资格条件中金融工作年限要求应增加4年；

（三）应具备本科学历要求，现学历为大专的，应相应增加6年以上金融或8年以上相关经济工作经历（其中从事金融工作4年以上）；现学历为高中或中专的，应增加8年以上金融或10年以上相关经济工作经历（其中从事金融工作5年以上）；

（四）应具备大专学历要求，现学历为高中或中专的，应相应增加6年以上金融或8年以上相关经济工作经历（其中从事金融工作4年以上）。

第一百四十七条 对不符合第一百四十三条、第一百四十五条和第一百四十六条规定的拟任人，农村中小金融机构如认为其具备拟任职务所需的知识、经验和能力，可以提出个案申请。

第二节 任职资格许可程序

第一百四十八条 董事（理事）和高级管理人员任职资格申请由法人机构提交。

第一百四十九条 以下机构董事（理事）和高级管理人员任职资格申请由银监分局受理、审查并决定。

（一）县（市、区）农村商业银行、农村合作银行、村镇银行董事长、副董事长、执行董事、其他董事、董事会秘书和高级管理人员，贷款公司总经理；

（二）地市农村商业银行、农村合作银行副董事长、董事、董事会秘书、副行长、首席风险控制官、首席技术官、首席执行官、首席运营官、财务总监、行长助理、总审计师、总会计师、内审负责人、财务负责人、合规负责人、营业部总经理；

（三）农村信用合作社、县（市、区）农村信用合作社联合社、县（市、区）农村信用合作联社、农村资金互助社理事长、副理事长、理事和高级管理人员；

（四）地市农村信用合作社联合社、地市农村信用合作联社副理事长、理事、副主任，地市农村信用合作联社营业部主任；

（五）农村商业银行、农村合作银行、村镇银行支行行长，县（市、区）农村信用合作联社信用社主任，地市农村信用合作联社信用社主任、副主任，省（市、区）农村信用社联合社办事处副主任。

第一百五十条 以下机构董事（理事）和高级管理人员任职资格申请由银监分局受理并初步审查，银监局审查并决定。

（一）地市农村商业银行、农村合作银行董事长、行长；

（二）地市农村信用合作社联合社、地市农村信用合作联社理事长、主任；

（三）省（市、区）农村信用社联合社办事处主任。

第一百五十一条 银监局所在城市辖区内农村商业银行、农村合作银行、村镇银行董事和高级管理人员，贷款公司总经理，农村信用合作社、县（市、区）农村信用合作社联合社、县(市、区)农村信用合作联社、地市农村信用合作社联社、地市农村信用合作联社、农村资金互助社理事和高级管理人员,农村商业银行、农村合作银行和村镇银行支行行长,县(市、区)农村信用合作联社信用社主任,地市农村信用合作联社信用社主任、副主任的任职资格申请,由银监局受理、审查并决定。

第一百五十二条　直辖市农村商业银行、农村合作银行董事长、行长和省(区、市)农村信用社联合社理事长、主任任职资格申请由银监局受理并初步审查,银监会审查并决定。直辖市农村商业银行、农村合作银行其他董事、高级管理人员和省(区、市)农村信用社联合社其他理事、高级管理人员任职资格申请由银监局受理、审查并决定,事后报告银监会。

第一百五十三条　由银监分局审查并决定的董事(理事)、董事长(理事长)、副董事(副理事)长及高级管理人员任职资格申请需要个案审核的,其申请由银监分局受理并初步审查,银监局审查并决定;由银监局或银监会审查并决定的董事(理事)、董事长(理事长)、副董事(副理事)长及高级管理人员任职资格申请需要个案审核的,其申请由银监局受理并初步审查,银监会审查并决定。

第一百五十四条　农村商业银行、农村合作银行和村镇银行、农村信用合作社、县(市、区)农村信用合作社联合社、农村信用合作联社、省(区、市)农村信用社联合社、农村资金互助社及其分支机构新设立时,董事(理事)和高级管理人员的任职资格申请,与该机构开业许可一并核准。

第一百五十五条　董事长(理事长)、副董事长(副理事长)和高级管理人员任职资格谈话、考察和考试由决定机关或由决定机关授权受理机关在审查中或事前进行。

第一百五十六条　拟任人现任或曾任金融机构董事长(理事长)、副董事长(副理事长)和高级管理人员的,申请人在提交任职资格申请材料时,还应提交该拟任人的离任审计报告。

本办法所称离任审计报告是指农村中小金融机构自身或聘请外部审计机构对其离任的董事(理事)长、副董事(副理事)长、高级管理人员进行审计后,于该人员离任后的60日内向监管机构报送的书面报告。

第一百五十七条　对农村中小金融机构董事(理事)长、副董事(副理事)长的离任审计报告应至少包括对其在以下方面所负责任(包括领导责任和直接责任)的审计结论:

(一)所任职农村中小金融机构的资产、负债、损益是否真实、合法;

(二)所任职农村中小金融机构经营是否合法合规;

(三)所任职农村中小金融机构重大关联交易是否依法披露;

(四)董事(理事)会运作是否正常。

第一百五十八条　对农村中小金融机构高级管理人员的离任审计报告至少应

包括对其在以下方面所负责任(包括领导责任和直接责任)的审计结论:

(一)所任职农村中小金融机构或部门的资产、负债、损益是否真实、合法;

(二)分管业务的经营是否合法合规;

(三)分管业务的内部控制、风险管理是否有效;

(四)职责范围内是否发生重大案件、重大损失和重大风险;

(五)个人是否涉及所任职机构经营中的重大关联交易;

(六)个人是否涉及财务违法违规活动。

第一百五十九条 拟任人在同一法人机构内调动,且新任职务的任职资格条件与其目前拥有的有效任职资格的条件相同,其新任职机构应在拟任人正式任职前向所在地监管机构提交书面报告,具体说明拟任人目前拥有的任职资格情况,其拟任职务的名称、职责、权限,并确认其拟任职务的任职资格条件与其目前拥有的任职资格条件相同,拟任人不存在不符合任职资格条件的情形,不需要为该人员重新申请任职资格。

出现下列情形之一的,新任职机构所在地的监管机构应及时通知新任职机构为该人员重新申请任职资格:

(一)新任职机构所在地的监管机构向原任职机构所在地监管机构征求书面意见,原任职机构所在地监管机构建议重新审核该人员任职资格的;

(二)原任职机构所在地监管机构因原任职机构未按规定报送离任审计报告,也未提前向监管机构做出说明,而向新任职机构所在地的监管机构建议重新审核该人员任职资格的;

(三)原任职机构所在地监管机构发现离任审计报告不实,或离任审计报告显示该人员可能不符合任职资格条件,而向新任职机构所在地的监管机构建议重新审核该人员任职资格的。

在该人员任职资格未获核准前,农村中小金融机构应指定符合相应任职资格条件的人员代为履职,并自做出决定之日起3日内向所在地监管机构报告。

农村中小金融机构董事(理事)和高级管理人员任期届满,被重新选举或聘任为董事(理事)和高级管理人员的,比照本条款执行。

第一百六十条 农村中小金融机构董事(理事)长、行长(主任)缺位时,农村中小金融机构可以按照公司章程等规定指定符合相应任职资格条件的人员代为履职,并自做出决定之日起3日内向监管机构报告。

代为履职的人员不符合任职资格条件的,监管机构可以责令农村中小金融机构限期调整代为履职的人员。

代为履职的时间不得超过6个月。农村中小金融机构应当在6个月内选聘具有任职资格的人员正式任职。

第一百六十一条 董事(理事)和高级管理人员在任职资格获得核准前不得到

任履职。

第一百六十二条　农村中小金融机构设监事长的,对其任职资格条件和程序参照董事长(理事长)执行。

第一百六十三条　本章任职资格事项,由下级监管机关受理、报上级监管机关决定的,自上级监管机关收到完整申请材料之日起 30 日内作出核准或不核准的书面决定;由同一监管机关受理、审查并决定的,自受理之日起 30 日内作出核准或不核准的书面决定。

第八章　附　　则

第一百六十四条　机构变更许可事项,农村中小金融机构应在决定机关作出行政许可决定之日起 6 个月内完成变更,并向决定机关和所在地银监会派出机构书面报告。董事(理事)和高级管理人员任职资格许可事项,拟任人应在决定机关核准任职资格之日起 3 个月内到任,农村中小金融机构应向决定机关和所在地银监会派出机构书面报告。法律、行政法规另有规定的除外。

未在前款规定的期限内完成变更或到任的,行政许可决定文件失效,由决定机关办理许可注销手续。

第一百六十五条　农村中小金融机构设立、变更和终止,涉及工商、税务登记变更等法定程序的,应当在完成相关变更手续后 1 个月内向决定机关和所在地银监会派出机构报告。

第一百六十六条　农村中小金融机构解散后改制为县(市、区)农村商业银行和农村合作银行、农村信用合作联社分支机构的,该分支机构开业及相关高级管理人员任职资格应由法人机构开业决定机关与法人机构开业事项一并核准。

解散后改制为地市、直辖市农村商业银行、农村合作银行、农村信用合作联社分支机构的,该分支机构开业及相关高级管理人员任职资格应在银监会核准法人机构开业后,法人机构办理工商登记注册前,由银监局一次性核准。

农村商业银行、农村合作银行、农村信用合作联社设立后,其本部及分支机构均应启用新设机构的金融许可证、营业执照、印章、凭证、牌匾等。

第一百六十七条　本办法所称境外金融机构包括香港、澳门和台湾地区的金融机构,本办法中"以上"含本数或本级。

第一百六十八条　本办法由银监会负责解释。

第一百六十九条　本办法自公布之日起施行,本办法施行前颁布的有关规定与本办法不一致的,按照本办法执行。

律师事务所管理办法

（2008 年 7 月 18 日司法部令第 111 号公布　自公布之日起施行）

第一章　总　　则

第一条　为了规范律师事务所的设立，加强对律师事务所的监督和管理，根据《中华人民共和国律师法》（以下简称《律师法》）和其他有关法律、法规的规定，制定本办法。

第二条　律师事务所是律师的执业机构。律师事务所应当依法设立并取得执业许可证。

第三条　律师事务所应当依法开展业务活动，加强内部管理和对律师执业行为的监督，依法承担相应的法律责任。

任何组织和个人不得非法干预律师事务所的业务活动，不得侵害律师事务所的合法权益。

第四条　司法行政机关依照《律师法》和本办法的规定对律师事务所进行监督、指导。

律师协会依照《律师法》、协会章程和行业规范，对律师事务所实行行业自律。

第二章　律师事务所的设立条件

第五条　律师事务所可以由律师合伙设立、律师个人设立或者由国家出资设立。

合伙律师事务所可以采用普通合伙或者特殊的普通合伙形式设立。

第六条　设立律师事务所应当具备下列基本条件：

（一）有自己的名称、住所和章程；

（二）有符合《律师法》和本办法规定的律师；

（三）设立人应当是具有一定的执业经历并能够专职执业的律师，且在申请设立前三年内未受过停止执业处罚；

（四）有符合本办法规定数额的资产。

第七条　设立普通合伙律师事务所，除应当符合本办法第六条规定的条件外，还应当具备下列条件：

（一）有书面合伙协议；

（二）有三名以上合伙人作为设立人；

（三）设立人应当是具有三年以上执业经历并能够专职执业的律师；

（四）有人民币三十万元以上的资产。

第八条 设立特殊的普通合伙律师事务所,除应当符合本办法第六条规定的条件外,还应当具备下列条件:

（一）有书面合伙协议;

（二）有二十名以上合伙人作为设立人;

（三）设立人应当是具有三年以上执业经历并能够专职执业的律师;

（四）有人民币一千万元以上的资产。

第九条 设立个人律师事务所,除应当符合本办法第六条规定的条件外,还应当具备下列条件:

（一）设立人应当是具有五年以上执业经历并能够专职执业的律师;

（二）有人民币十万元以上的资产。

第十条 国家出资设立的律师事务所,除符合《律师法》规定的一般条件外,应当至少有二名符合《律师法》规定并能够专职执业的律师。

需要国家出资设立律师事务所的,由当地县级司法行政机关筹建,申请设立许可前须经所在地县级人民政府有关部门核拨编制、提供经费保障。

第十一条 省、自治区、直辖市司法行政机关可以根据本地经济社会发展状况和律师业发展需要,适当调整本办法规定的普通合伙律师事务所、特殊的普通合伙律师事务所和个人律师事务所的设立资产数额,报司法部批准后实施。

第十二条 设立律师事务所,其申请的名称应当符合司法部有关律师事务所名称管理的规定,并应当在申请设立许可前按规定办理名称检索。

第十三条 律师事务所负责人人选,应当在申请设立许可时一并报审核机关核准。

合伙律师事务所的负责人,应当从本所合伙人中经全体合伙人选举产生;国家出资设立的律师事务所的负责人,由本所律师推选,经所在地县级司法行政机关同意。

个人律师事务所设立人是该所的负责人。

第十四条 律师事务所章程应当包括下列内容:

（一）律师事务所的名称和住所;

（二）律师事务所的宗旨;

（三）律师事务所的组织形式;

（四）设立资产的数额和来源;

（五）律师事务所负责人的职责以及产生、变更程序;

（六）律师事务所决策、管理机构的设置、职责;

（七）本所律师的权利与义务;

（八）律师事务所有关执业、收费、财务、分配等主要管理制度;

（九）律师事务所解散的事由、程序以及清算办法；

（十）律师事务所章程的解释、修改程序；

（十一）其他需要载明的事项。

设立合伙律师事务所的，其章程还应当载明合伙人的姓名、出资额及出资方式。

律师事务所章程的内容不得与有关法律、法规、规章相抵触。

律师事务所章程自省、自治区、直辖市司法行政机关作出准予设立律师事务所决定之日起生效。

第十五条 合伙协议应当载明下列内容：

（一）合伙人，包括姓名、居住地、身份证号、律师执业经历等；

（二）合伙人的出资额及出资方式；

（三）合伙人的权利、义务；

（四）合伙律师事务所负责人的职责以及产生、变更程序；

（五）合伙人会议的职责、议事规则等；

（六）合伙人收益分配及债务承担方式；

（七）合伙人入伙、退伙及除名的条件和程序；

（八）合伙人之间争议的解决方法和程序，违反合伙协议承担的责任；

（九）合伙协议的解释、修改程序；

（十）其他需要载明的事项。

合伙协议的内容不得与有关法律、法规、规章相抵触。

合伙协议由全体合伙人协商一致并签名，自省、自治区、直辖市司法行政机关作出准予设立律师事务所决定之日起生效。

第三章 律师事务所设立许可程序

第十六条 律师事务所的设立许可，由设区的市级或者直辖市的区（县）司法行政机关受理设立申请并进行初审，报省、自治区、直辖市司法行政机关进行审核，作出是否准予设立的决定。

第十七条 申请设立律师事务所，应当向所在地设区的市级或者直辖市的区（县）司法行政机关提交下列材料：

（一）设立申请书；

（二）律师事务所的名称、章程；

（三）设立人的名单、简历、身份证明、律师执业证书，律师事务所负责人人选；

（四）住所证明；

（五）资产证明。

设立合伙律师事务所，还应当提交合伙协议。

设立国家出资设立的律师事务所，应当提交所在地县级人民政府有关部门出具的核拨编制、提供经费保障的批件。

申请设立许可时，申请人应当如实填报《律师事务所设立申请登记表》。

第十八条　设区的市级或者直辖市的区（县）司法行政机关对申请人提出的设立律师事务所申请，应当根据下列情况分别作出处理：

（一）申请材料齐全、符合法定形式的，应当受理；

（二）申请材料不齐全或者不符合法定形式的，应当当场或者自收到申请材料之日起五日内一次告知申请人需要补正的全部内容。申请人按要求补正的，予以受理；逾期不告知的，自收到申请材料之日起即为受理；

（三）申请事项明显不符合法定条件或者申请人拒绝补正、无法补正有关材料的，不予受理，并向申请人书面说明理由。

第十九条　受理申请的司法行政机关应当在决定受理之日起二十日内完成对申请材料的审查。

在审查过程中，可以征求拟设立律师事务所所在地县级司法行政机关的意见；对于需要调查核实有关情况的，可以要求申请人提供有关证明材料，也可以委托县级司法行政机关进行核实。

经审查，应当对设立律师事务所的申请是否符合法定条件、材料是否真实齐全出具审查意见，并将审查意见和全部申请材料报送省、自治区、直辖市司法行政机关。

第二十条　省、自治区、直辖市司法行政机关应当自收到受理申请机关报送的审查意见和全部申请材料之日起十日内予以审核，作出是否准予设立律师事务所的决定。

准予设立的，应当自决定之日起十日内向申请人颁发律师事务所执业许可证。

不准予设立的，应当向申请人书面说明理由。

第二十一条　律师事务所执业许可证分为正本和副本。正本用于办公场所悬挂，副本用于接受查验。正本和副本具有同等的法律效力。

律师事务所执业许可证应当载明的内容、制作的规格、证号编制办法，由司法部规定。执业许可证由司法部统一制作。

第二十二条　律师事务所设立申请人应当在领取执业许可证后的六十日内，按照有关规定刻制印章、开立银行账户、办理税务登记，完成律师事务所开业的各项准备工作，并将刻制的律师事务所公章、财务章印模和开立的银行账户报所在地设区的市级或者直辖市的区（县）司法行政机关备案。

第二十三条　有下列情形之一的，由作出准予设立律师事务所决定的省、自治区、直辖市司法行政机关撤销原准予设立的决定，收回并注销律师事务所执业许可证：

（一）申请人以欺骗、贿赂等不正当手段取得准予设立决定的；

（二）对不符合法定条件的申请或者违反法定程序作出准予设立决定的。

第四章　律师事务所的变更和终止

第二十四条　律师事务所变更名称、负责人、章程、合伙协议的，应当经所在地设区的市级或者直辖市的区（县）司法行政机关审查后报原审核机关批准。具体办法按律师事务所设立许可程序办理。

律师事务所变更住所、合伙人的，应当自变更之日起十五日内经所在地设区的市级或者直辖市的区（县）司法行政机关报原审核机关备案。

第二十五条　律师事务所跨县、不设区的市、市辖区变更住所，需要相应变更负责对其实施日常监督管理的司法行政机关的，应当在办理备案手续后，由其所在地设区的市级司法行政机关或者直辖市司法行政机关将有关变更情况通知律师事务所迁入地的县级司法行政机关。

律师事务所拟将住所迁移其他省、自治区、直辖市的，应当按注销原律师事务所、设立新的律师事务所的程序办理。

第二十六条　律师事务所变更合伙人，包括吸收新合伙人、合伙人退伙、合伙人因法定事由或者经合伙人会议决议被除名。

新合伙人应当从专职执业的律师中产生，并具有三年以上执业经历，但司法部另有规定的除外。受到六个月以上停止执业处罚的律师，处罚期满未逾三年的，不得担任合伙人。

合伙人退伙、被除名的，律师事务所应当依照法律、本所章程和合伙协议处理相关财产权益、债务承担等事务。

因合伙人变更需要修改合伙协议的，修改后的合伙协议应当按照本办法第二十四条第一款的规定报批。

第二十七条　律师事务所变更组织形式的，应当在自行依法处理好业务衔接、人员安排、资产处置、债务承担等事务并对章程、合伙协议作出相应修改后，方可按照本办法第二十四条第一款的规定申请变更。

第二十八条　律师事务所因分立、合并，需要对原律师事务所进行变更或者注销原律师事务所、设立新的律师事务所的，应当在自行依法处理好相关律师事务所的业务衔接、人员安排、资产处置、债务承担等事务后，提交分立协议或者合并协议等申请材料，按照本办法的相关规定办理。

第二十九条　成立三年以上并具有二十名以上执业律师的合伙律师事务所，可以设立分所。设立分所，须经拟设立分所所在地的省、自治区、直辖市司法行政机关审核。律师事务所分所管理办法,另行制定。

第三十条 律师事务所有下列情形之一的,应当终止:

(一)不能保持法定设立条件,经限期整改仍不符合条件的;

(二)执业许可证被依法吊销的;

(三)自行决定解散的;

(四)法律、行政法规规定应当终止的其他情形。

律师事务所在取得设立许可后,六个月内未开业或者无正当理由停止业务活动满一年的,视为自行停办,应当终止。

律师事务所在受到停业整顿处罚期限未满前,不得自行决定解散。

第三十一条 律师事务所在终止事由发生后,应当向社会公告,依照有关规定进行清算,依法处置资产分割、债务清偿等事务。因被吊销执业许可证终止的,由作出该处罚决定的司法行政机关向社会公告。因其他情形终止、律师事务所拒不公告的,由设区的市级或者直辖市的区(县)司法行政机关向社会公告。

律师事务所自终止事由发生后,不得受理新的业务。

律师事务所应当在清算结束后十五日内向所在地设区的市级或者直辖市的区(县)司法行政机关提交注销申请书、清算报告、本所执业许可证以及其他有关材料,由其出具审查意见后连同全部注销申请材料报原审核机关审核,办理注销手续。

律师事务所被注销的,其业务档案、财务账簿、本所印章的移管、处置,按照有关规定办理。

第五章 律师事务所执业和管理规则

第三十二条 律师事务所应当依照《律师法》和有关法律、法规、规章及行业规范,建立健全执业管理和其他各项内部管理制度,加强对本所律师执业行为的监督。

律师应当接受律师事务所的监督管理。

第三十三条 律师承办业务,由律师事务所统一接受委托,与委托人签订书面委托合同。

律师事务所受理业务,应当进行利益冲突审查,不得违反规定受理与本所承办业务及其委托人有利益冲突的业务。

第三十四条 律师事务所组织开展业务活动,应当指导本所律师依法执业,履行法律援助义务,建立承办重大疑难案件的集体研究和请示报告制度,对律师在执业活动中遵守法律、法规、规章,遵守职业道德和执业纪律的情况进行监督,发现问题及时予以纠正。

第三十五条　律师事务所应当按照有关规定统一收费,建立健全收费管理制度,及时查处有关违规收费的举报和投诉。

律师事务所应当按照规定建立健全财务管理制度,建立和实行合理的分配制度及激励机制。

律师事务所应当依法纳税。

律师事务所不得从事法律服务以外的经营活动。

第三十六条　合伙律师事务所和国家出资设立的律师事务所应当按照规定为聘用的律师和辅助人员办理失业、养老、医疗等社会保险。

个人律师事务所聘用律师和辅助人员的,应当按前款规定为其办理社会保险。

第三十七条　律师事务所应当按照规定,建立执业风险、事业发展、社会保障等基金。

律师参加执业责任保险的具体办法另行规定。

第三十八条　律师违法执业或者因过错给当事人造成损失的,由其所在的律师事务所承担赔偿责任。律师事务所赔偿后,可以向有故意或者重大过失行为的律师追偿。

普通合伙律师事务所的合伙人对律师事务所的债务承担无限连带责任。特殊的普通合伙律师事务所一个合伙人或者数个合伙人在执业活动中因故意或者重大过失造成律师事务所债务的,应当承担无限责任或者无限连带责任,其他合伙人以其在律师事务所中的财产份额为限承担责任;合伙人在执业活动中非因故意或者重大过失造成的律师事务所债务,由全体合伙人承担无限连带责任。个人律师事务所的设立人对律师事务所的债务承担无限责任。国家出资设立的律师事务所以其全部资产对其债务承担责任。

第三十九条　律师事务所的负责人负责对律师事务所的业务活动和内部事务进行管理,对外代表律师事务所,依法承担对律师事务所违法行为的管理责任。

合伙人会议或者律师会议为合伙律师事务所或者国家出资设立的律师事务所的决策机构;个人律师事务所的重大决策应当充分听取聘用律师的意见。

律师事务所根据本所章程可以设立相关管理机构或者配备专职管理人员,协助本所负责人开展日常管理工作。

第四十条　律师事务所应当加强对本所律师的职业道德和执业纪律教育,组织开展业务学习和经验交流活动,为律师参加业务培训和继续教育提供条件。

第四十一条　律师事务所应当建立投诉查处制度,及时查处、纠正本所律师在执业活动中的违法违规行为,调处在执业中与委托人之间的纠纷;认为需要对被投诉律师给予行政处罚或者行业惩戒的,应当及时向所在地县级司法行政机关或者律师协会报告。

对于年度考核不合格或者严重违反本所章程及管理制度的律师,律师事务所可以与其解除聘用关系或者经合伙人会议通过将其除名,有关处理结果报所在地县级司法行政机关和律师协会备案。

已担任合伙人的律师受到六个月以上停止执业处罚的,自处罚决定生效之日起至处罚期满后三年内,不得担任合伙人。

第四十二条 律师事务所应当建立律师执业年度考核制度,按照规定对本所律师的执业表现和遵守职业道德、执业纪律的情况进行考核,评定等次,实施奖惩,建立律师执业档案。

第四十三条 律师事务所应当于每年的一季度经所在地县级司法行政机关向设区的市级司法行政机关提交上一年度本所执业情况报告和律师执业考核结果,直辖市的律师事务所的执业情况报告和律师执业考核结果直接向所在地区(县)司法行政机关提交,接受司法行政机关的年度检查考核。具体年度检查考核办法,由司法部规定。

第四十四条 律师事务所应当按照规定建立健全档案管理制度,对所承办业务的案卷和有关资料及时立卷归档,妥善保管。

第四十五条 律师事务所应当妥善保管、依法使用本所执业许可证,不得变造、出借、出租。如有遗失或者损毁的,应当及时报告所在地县级司法行政机关,经所在地设区的市级或者直辖市区(县)司法行政机关向原审核机关申请补发或者换发。律师事务所执业许可证遗失的,应当在当地报刊上刊登遗失声明。

律师事务所被撤销许可、受到吊销执业许可证处罚的,由所在地县级司法行政机关收缴其执业许可证。

律师事务所受到停业整顿处罚的,应当自处罚决定生效后至处罚期限届满前,将执业许可证缴存其所在地县级司法行政机关。

第六章 司法行政机关的监督管理

第四十六条 县级司法行政机关对本行政区域内的律师事务所的执业活动进行日常监督管理,履行下列职责:

(一)监督律师事务所在开展业务活动过程中遵守法律、法规、规章的情况;

(二)监督律师事务所执业和内部管理制度的建立和实施情况;

(三)监督律师事务所保持法定设立条件以及变更报批或者备案的执行情况;

(四)监督律师事务所进行清算、申请注销的情况;

(五)监督律师事务所开展律师执业年度考核和上报年度执业总结的情况;

(六)受理对律师事务所的举报和投诉;

(七)监督律师事务所履行行政处罚和实行整改的情况;

（八）司法部和省、自治区、直辖市司法行政机关规定的其他职责。

县级司法行政机关在开展日常监督管理过程中，对发现、查实的律师事务所在执业和内部管理方面存在的问题，应当对律师事务所负责人或者有关律师进行警示谈话，责令改正，并对其整改情况进行监督；对律师事务所的违法行为认为依法应当给予行政处罚的，应当向上一级司法行政机关提出处罚建议；认为需要给予行业惩戒的，移送律师协会处理。

第四十七条 设区的市级司法行政机关履行下列监督管理职责：

（一）掌握本行政区域律师事务所的执业活动和组织建设、队伍建设、制度建设的情况，制定加强律师工作的措施和办法；

（二）指导、监督下一级司法行政机关的日常监督管理工作，组织开展对律师事务所的专项监督检查工作，指导对律师事务所重大投诉案件的查处工作；

（三）对律师事务所进行表彰；

（四）依法定职权对律师事务所的违法行为实施行政处罚；对依法应当给予吊销执业许可证处罚的，向上一级司法行政机关提出处罚建议；

（五）组织开展对律师事务所的年度检查考核工作；

（六）受理、审查律师事务所设立、变更、设立分所、注销申请事项；

（七）建立律师事务所执业档案，负责有关律师事务所的许可、变更、终止及执业档案信息的公开工作；

（八）法律、法规、规章规定的其他职责。

直辖市的区（县）司法行政机关负有前款规定的有关职责。

第四十八条 省、自治区、直辖市司法行政机关履行下列监督管理职责：

（一）制定本行政区域律师事务所的发展规划和有关政策，制定律师事务所管理的规范性文件；

（二）掌握本行政区域律师事务所组织建设、队伍建设、制度建设和业务开展情况；

（三）监督、指导下级司法行政机关的监督管理工作，指导对律师事务所的专项监督检查和年度检查考核工作；

（四）组织对律师事务所的表彰活动；

（五）依法对律师事务所的严重违法行为实施吊销执业许可证的处罚，监督下一级司法行政机关的行政处罚工作，办理有关行政复议和申诉案件；

（六）办理律师事务所设立核准、变更核准或者备案、设立分所核准及执业许可证注销事项；

（七）负责本行政区域律师事务所有关重大信息的公开工作；

（八）法律、法规规定的其他职责。

第四十九条 各级司法行政机关及其工作人员对律师事务所实施监督管理，

不得妨碍律师事务所依法执业,不得侵害律师事务所的合法权益,不得索取或者收受律师事务所及其律师的财物,不得谋取其他利益。

第五十条 司法行政机关应当加强对实施许可和管理活动的层级监督,按照规定建立有关工作的统计、请示、报告、督办等制度。

负责律师事务所许可实施、年度检查考核或者奖励、处罚的司法行政机关,应当及时将有关许可决定、考核结果或者奖惩情况通报下级司法行政机关,并报送上一级司法行政机关。

第五十一条 司法行政机关应当加强对律师协会的指导、监督,支持律师协会依照《律师法》和协会章程、行业规范对律师事务所实行行业自律,建立健全行政管理与行业自律相结合的协调、协作机制。

第五十二条 各级司法行政机关应当定期将本行政区域律师事务所的组织、队伍、业务情况的统计资料、年度管理工作总结报送上一级司法行政机关。

第五十三条 司法行政机关工作人员在律师事务所设立许可和实施监督管理活动中,滥用职权、玩忽职守,构成犯罪的,依法追究刑事责任;尚不构成犯罪的,依法给予行政处分。

第七章 附 则

第五十四条 省、自治区、直辖市司法行政机关可以依据本办法制定具体实施办法,报司法部备案。

第五十五条 本办法自发布之日起施行。此前司法部制定的有关律师事务所管理的规章、规范性文件与本办法相抵触的,以本办法为准。

律师执业管理办法

(2008年7月18日司法部令第112号公布 自公布之日起施行)

第一章 总 则

第一条 为了规范律师执业许可,保障律师依法执业,加强对律师执业行为的监督和管理,根据《中华人民共和国律师法》(以下简称《律师法》)及其他有关法律、法规的规定,制定本办法。

第二条 律师是指依法取得律师执业证书,接受委托或者指定,为当事人提供法律服务的执业人员。

第三条 律师通过执业活动,应当维护当事人合法权益,维护法律正确实施,维护社会公平和正义。

第四条 律师依法执业受法律保护,任何组织和个人不得侵害律师的合法权益。

司法行政机关和律师协会应当依法维护律师的执业权利。

第五条 司法行政机关依照《律师法》和本办法的规定对律师执业进行监督、指导。

律师协会依照《律师法》、协会章程和行业规范对律师执业实行行业自律。

第二章 律师执业条件

第六条 申请律师执业,应当具备下列条件:

(一)拥护中华人民共和国宪法;

(二)通过国家统一司法考试取得法律职业资格证书;

(三)在律师事务所实习满一年;

(四)品行良好。

实行国家统一司法考试前取得的律师资格证书,在申请律师执业时,与法律职业资格证书具有同等效力。

享受国家统一司法考试有关报名条件、考试合格优惠措施,取得法律职业资格证书的,其申请律师执业的地域限制,按照有关规定办理。

申请律师执业的人员,应当按照规定参加律师协会组织的实习活动,并经律师协会考核合格。

第七条 申请兼职律师执业,除符合本办法第六条规定的条件外,还应当具备下列条件:

(一)在高等院校、科研机构中从事法学教育、研究工作;

(二)经所在单位同意。

第八条 申请特许律师执业,应当符合《律师法》和国务院有关条例规定的条件。

第九条 有下列情形之一的人员,不得从事律师职业:

(一)无民事行为能力或者限制民事行为能力的;

(二)受过刑事处罚的,但过失犯罪的除外;

(三)被开除公职或者被吊销律师执业证书的。

第三章 律师执业许可程序

第十条 律师执业许可,由设区的市级或者直辖市的区(县)司法行政机关受理执业申请并进行初审,报省、自治区、直辖市司法行政机关审核,作出是否准予执业的决定。

第十一条　申请律师执业,应当向设区的市级或者直辖市的区(县)司法行政机关提交下列材料:

(一)执业申请书;

(二)法律职业资格证书或者律师资格证书;

(三)律师协会出具的申请人实习考核合格的材料;

(四)申请人的身份证明;

(五)律师事务所出具的同意接收申请人的证明。

申请执业许可时,申请人应当如实填报《律师执业申请登记表》。

第十二条　申请兼职律师执业,除按照本办法第十一条的规定提交有关材料外,还应当提交下列材料:

(一)在高等院校、科研机构从事法学教育、研究工作的经历及证明材料;

(二)所在单位同意申请人兼职律师执业的证明。

第十三条　设区的市级或者直辖市的区(县)司法行政机关对申请人提出的律师执业申请,应当根据下列情况分别作出处理:

(一)申请材料齐全、符合法定形式的,应当受理;

(二)申请材料不齐全或者不符合法定形式的,应当当场或者自收到申请材料之日起五日内一次告知申请人需要补正的全部内容。申请人按要求补正的,予以受理;逾期不告知的,自收到申请材料之日起即为受理;

(三)申请事项明显不符合法定条件或者申请人拒绝补正、无法补正有关材料的,不予受理,并向申请人书面说明理由。

第十四条　受理申请的司法行政机关应当自决定受理之日起二十日内完成对申请材料的审查。

在审查过程中,可以征求申请执业地的县级司法行政机关的意见;对于需要调查核实有关情况的,可以要求申请人提供有关的证明材料,也可以委托县级司法行政机关进行核实。

经审查,应当对申请人是否符合法定条件、提交的材料是否真实齐全出具审查意见,并将审查意见和全部申请材料报送省、自治区、直辖市司法行政机关。

第十五条　省、自治区、直辖市司法行政机关应当自收到受理申请机关报送的审查意见和全部申请材料之日起十日内予以审核,作出是否准予执业的决定。

准予执业的,应当自决定之日起十日内向申请人颁发律师执业证书。

不准予执业的,应当向申请人书面说明理由。

第十六条　申请特许律师执业,需要提交的材料以及受理、考核、批准的程序,依照国务院有关条例的规定办理。

第十七条 申请人有本办法第九条规定情形之一的,不得准予其律师执业。

第十八条 律师执业证书是律师依法获准执业的有效证件。

律师执业证书应当载明的内容、制作的规格、证号编制办法,由司法部规定。执业证书由司法部统一制作。

第十九条 有下列情形之一的,由作出准予该申请人执业决定的省、自治区、直辖市司法行政机关撤销原准予执业的决定,收回并注销其律师执业证书:

(一)申请人以欺诈、贿赂等不正当手段取得准予执业决定的;

(二)对不符合法定条件的申请人准予执业或者违反法定程序作出准予执业决定的。

第二十条 律师变更执业机构,应当向拟变更的执业机构所在地设区的市级或者直辖市的区(县)司法行政机关提出申请,并提交下列材料:

(一)原执业机构所在地县级司法行政机关出具的申请人不具有本办法第二十一条规定情形的证明;

(二)与原执业机构解除聘用关系或者合伙关系以及办结业务、档案、财务等交接手续的证明;

(三)拟变更的执业机构同意接收申请人的证明;

(四)申请人的执业经历证明材料。

受理机关应当对变更申请及提交的材料出具审查意见,并连同全部申请材料报送省、自治区、直辖市司法行政机关审核。对准予变更的,由审核机关为申请人换发律师执业证书;对不准予变更的,应当向申请人书面说明理由。有关审查、核准、换证的期限,参照本办法第十四条、第十五条规定的程序办理。

准予变更的,申请人在领取新的执业证书前,应当将原执业证书上交原审核颁证机关。

律师跨设区的市或者省、自治区、直辖市变更执业机构的,原执业机构所在地和变更的执业机构所在地的司法行政机关之间应当交接该律师执业档案。

第二十一条 律师受到停止执业处罚期间,不得申请变更执业机构;律师事务所受到停业整顿处罚期限未满的,该所负责人、合伙人和对律师事务所受到停业整顿处罚负有直接责任的律师不得申请变更执业机构;律师事务所应当终止的,在完成清算、办理注销前,该所负责人、合伙人和对律师事务所被吊销执业许可证负有直接责任的律师不得申请变更执业机构。

第二十二条 律师被所在的律师事务所派驻分所执业的,其律师执业证书的换发及管理办法,按照司法部有关规定办理。

第二十三条 律师有下列情形之一的,由其执业地的原审核颁证机关收回、注销其律师执业证书:

(一)受到吊销律师执业证书处罚的;

（二）原准予执业的决定被依法撤销的；

（三）因本人不再从事律师职业申请注销的；

（四）因与所在律师事务所解除聘用合同或者所在的律师事务所被注销，在六个月内未被其他律师事务所聘用的；

（五）因其他原因终止律师执业的。

因前款第（三）项、第（四）项、第（五）项规定情形被注销律师执业证书的人员，重新申请律师执业的，按照本办法规定的程序申请律师执业。

第四章　律师执业行为规范

第二十四条　律师执业必须遵守宪法和法律，恪守律师职业道德和执业纪律。

律师执业必须以事实为根据，以法律为准绳。

律师执业应当接受国家、社会和当事人的监督。

第二十五条　律师可以从事下列业务：

（一）接受自然人、法人或者其他组织的委托，担任法律顾问；

（二）接受民事案件、行政案件当事人的委托，担任代理人，参加诉讼；

（三）接受刑事案件犯罪嫌疑人的委托，为其提供法律咨询，代理申诉、控告，为被逮捕的犯罪嫌疑人申请取保候审，接受犯罪嫌疑人、被告人的委托或者人民法院的指定，担任辩护人，接受自诉案件自诉人、公诉案件被害人或者其近亲属的委托，担任代理人，参加诉讼；

（四）接受委托，代理各类诉讼案件的申诉；

（五）接受委托，参加调解、仲裁活动；

（六）接受委托，提供非诉讼法律服务；

（七）解答有关法律的询问、代写诉讼文书和有关法律事务的其他文书。

第二十六条　律师承办业务，应当由律师事务所统一接受委托，与委托人签订书面委托合同，并服从律师事务所对受理业务进行的利益冲突审查及其决定。

第二十七条　律师不得在同一案件中为双方当事人担任代理人，不得代理与本人及其近亲属有利益冲突的法律事务。

律师担任各级人民代表大会常务委员会组成人员的，任职期间不得从事诉讼代理或者辩护业务。

曾经担任法官、检察官的律师，从人民法院、人民检察院离任后二年内，不得担任诉讼代理人或者辩护人。

第二十八条　律师担任法律顾问的，应当按照约定为委托人就有关法律问题提供意见，草拟、审查法律文书，代理参加诉讼、调解或者仲裁活动，办理委托的其他法律事务，维护委托人的合法权益。

第二十九条　律师担任诉讼法律事务代理人或者非诉讼法律事务代理人的，应当在受委托的权限内代理法律事务，维护委托人的合法权益。

第三十条　律师担任辩护人的，应当根据事实和法律，提出犯罪嫌疑人、被告人无罪、罪轻或者减轻、免除其刑事责任的材料和意见，维护犯罪嫌疑人、被告人的合法权益。

第三十一条　律师出具法律意见，应当严格依法履行职责，保证其所出具意见的真实性、准确性、完整性。

律师提供法律咨询、代写法律文书，应当以事实为根据，以法律为准绳，并符合法律咨询规则和法律文书体例、格式的要求。

第三十二条　律师承办业务，应当告知委托人该委托事项办理可能出现的法律风险，不得用明示或者暗示方式对办理结果向委托人作出不当承诺。

律师承办业务，应当及时向委托人通报委托事项办理进展情况；需要变更委托事项、权限的，应当征得委托人的同意和授权。

律师接受委托后，无正当理由的，不得拒绝辩护或者代理，但是，委托事项违法，委托人利用律师提供的服务从事违法活动或者委托人故意隐瞒与案件有关的重要事实的，律师有权拒绝辩护或者代理。

第三十三条　律师承办业务应当引导委托人通过合法的途径、手段主张权利、解决争议，不得煽动、教唆委托人采取扰乱公共秩序、危害公共安全等非法手段解决争议。

律师不得利用提供法律服务的便利牟取当事人争议的权益，不得接受对方当事人的财物或者其他利益，不得与对方当事人或者第三人恶意串通，侵害委托人权益。

第三十四条　律师代理参与诉讼、仲裁或者行政处理活动，应当遵守法庭、仲裁庭纪律和行政处理规则，不得有下列妨碍、干扰诉讼、仲裁或者行政处理活动正常进行的行为：

（一）违反规定会见法官、检察官、仲裁员以及其他有关工作人员；

（二）向案件承办人员行贿、许诺提供利益或者指使、诱导委托人行贿；

（三）故意向司法机关、仲裁机构或者行政机关提供虚假证据或者威胁、利诱他人提供虚假证据，妨碍对方当事人合法取得证据；

（四）在法庭上发表危害国家安全、诽谤他人、扰乱法庭秩序的言论；

（五）法律规定的妨碍、干扰诉讼、仲裁或者行政处理活动正常进行的其他行为。

第三十五条　律师应当尊重同行，公平竞争，不得以诋毁其他律师事务所、律师或者支付介绍费等不正当手段承揽业务。

第三十六条　律师应当保守在执业活动中知悉的国家秘密、商业秘密，不得泄露当事人隐私。

律师对在执业活动中知悉的委托人和其他人不愿泄露的情况和信息,应当予以保密。但委托人或者其他人准备或者正在实施的危害国家安全、公共安全以及其他严重危害他人人身、财产安全的犯罪事实和信息除外。

第三十七条　律师承办业务,应当按照规定由律师事务所向委托人统一收取律师费和有关办案费用,不得私自收费,不得接受委托人的财物或者其他利益。

第三十八条　律师应当按照国家规定履行法律援助义务,为受援人提供符合标准的法律服务,维护受援人的合法权益。

第三十九条　律师承办业务,应当妥善保管与承办事项有关的法律文书、证据材料、业务文件和工作记录。在法律事务办结后,按照有关规定立卷建档,上交律师事务所保管。

第四十条　律师只能在一个律师事务所执业。

律师在从业期间应当专职执业,但兼职律师或者法律、行政法规另有规定的除外。

律师执业,应当遵守所在律师事务所的执业管理制度,接受律师事务所的指导和监督,参加律师执业年度考核。

第四十一条　律师应当妥善使用和保管律师执业证书,不得变造、抵押、出借、出租。如有遗失或者损毁的,应当及时报告所在地县级司法行政机关,经所在地设区的市级或者直辖市区(县)司法行政机关向原审核颁证机关申请补发或者换发。律师执业证书遗失的,应当在当地报刊上刊登遗失声明。

律师被撤销执业许可,受到吊销执业证书处罚的,由其执业机构所在地县级司法行政机关收缴其执业证书。

律师受到停止执业处罚的,应当自处罚决定生效后至处罚期限届满前,将律师执业证书缴存其执业机构所在地县级司法行政机关。

第四十二条　律师应当按照规定参加司法行政机关和律师协会组织的职业培训。

第五章　司法行政机关的监督管理

第四十三条　县级司法行政机关对其执业机构在本行政区域的律师的执业活动进行日常监督管理,履行下列职责:

(一)检查、监督律师在执业活动中遵守法律、法规、规章和职业道德、执业纪律的情况;

(二)受理对律师的举报和投诉;

(三)监督律师履行行政处罚和实行整改的情况;

（四）掌握律师事务所对律师执业年度考核的情况；

（五）司法部和省、自治区、直辖市司法行政机关规定的其他职责。

县级司法行政机关在开展日常监督管理过程中，发现、查实律师在执业活动中存在问题的，应当对其进行警示谈话，责令改正，并对其整改情况进行监督；对律师的违法行为认为依法应当给予行政处罚的，应当向上一级司法行政机关提出处罚建议；认为需要给予行业惩戒的，移送律师协会处理。

第四十四条 设区的市级司法行政机关履行下列监督管理职责：

（一）掌握本行政区域律师队伍建设和发展情况，制定加强律师队伍建设的措施和办法；

（二）指导、监督下一级司法行政机关对律师执业的日常监督管理工作，组织开展对律师执业的专项检查或者专项考核工作，指导对律师重大投诉案件的查处工作；

（三）对律师进行表彰；

（四）依法定职权对律师的违法行为实施行政处罚；对依法应当给予吊销律师执业证书处罚的，向上一级司法行政机关提出处罚建议；

（五）对律师事务所的律师执业年度考核结果实行备案监督；

（六）受理、审查律师执业、变更执业机构、执业证书注销申请事项；

（七）建立律师执业档案，负责有关律师执业许可、变更、注销等信息的公开工作；

（八）法律、法规、规章规定的其他职责。

直辖市的区（县）司法行政机关负有前款规定的有关职责。

第四十五条 省、自治区、直辖市司法行政机关履行下列监督管理职责：

（一）掌握、评估本行政区域律师队伍建设情况和总体执业水平，制定律师队伍的发展规划和有关政策，制定加强律师执业管理的规范性文件；

（二）监督、指导下级司法行政机关对律师执业的监督管理工作，组织、指导对律师执业的专项检查或者专项考核工作；

（三）组织对律师的表彰活动；

（四）依法对律师的严重违法行为实施吊销律师执业证书的处罚，监督、指导下一级司法行政机关的行政处罚工作，办理有关行政复议和申诉案件；

（五）办理律师执业核准、变更执业机构核准和执业证书注销事项；

（六）负责有关本行政区域律师队伍、执业情况、管理事务等重大信息的公开工作；

（七）法律、法规、规章规定的其他职责。

第四十六条 各级司法行政机关及其工作人员对律师执业实施监督管理，不得妨碍律师依法执业，不得侵害律师的合法权益，不得索取或者收受律师的财物，不得谋取其他利益。

第四十七条 司法行政机关应当加强对实施律师执业许可和日常监督管理活动的层级监督，按照规定建立有关工作的统计、请示、报告、督办等制度。

负责律师执业许可实施、律师执业年度考核结果备案或者奖励、处罚的司法行政机关，应当及时将有关许可决定、备案情况、奖惩情况通报下级司法行政机关，并报送上一级司法行政机关。

第四十八条 司法行政机关应当加强对律师协会的指导、监督，支持律师协会依照《律师法》和协会章程、行业规范对律师执业活动实行行业自律，建立健全行政管理与行业自律相结合的协调、协作机制。

第四十九条 各级司法行政机关应当定期将本行政区域律师队伍建设、执业活动情况的统计资料、年度管理工作总结报送上一级司法行政机关。

第五十条 司法行政机关工作人员在律师执业许可和实施监督管理活动中，滥用职权、玩忽职守，构成犯罪的，依法追究刑事责任；尚不构成犯罪的，依法给予行政处分。

第六章　附　　则

第五十一条 省、自治区、直辖市司法行政机关可以依据本办法制定具体实施办法，报司法部备案。

第五十二条 本办法自发布之日起施行。此前司法部制定的有关律师执业管理的规章、规范性文件与本办法相抵触的，以本办法为准。

道路交通事故处理程序规定

（2008 年 8 月 17 日公安部令第 104 号公布　自 2009 年 1 月 1 日起施行）

目　　录

第一章　总　　则

第一条　为了规范道路交通事故处理程序,保障公安机关交通管理部门依法履行职责,保护道路交通事故当事人的合法权益,根据《中华人民共和国道路交通安全法》及其实施条例等有关法律、法规,制定本规定。

第二条　公安机关交通管理部门处理道路交通事故,应当遵循公正、公开、便民、效率的原则。

第三条　交通警察处理道路交通事故,应当取得相应等级的处理道路交通事故资格。

第二章　管　　辖

第四条　道路交通事故由发生地的县级公安机关交通管理部门管辖。未设立县级公安机关交通管理部门的,由设区市公安机关交通管理部门管辖。

第五条　道路交通事故发生在两个以上管辖区域的,由事故起始点所在地公安机关交通管理部门管辖。

对管辖权有争议的,由共同的上一级公安机关交通管理部门指定管辖。指定管辖前,最先发现或者最先接到报警的公安机关交通管理部门应当先行救助受伤人员,进行现场前期处理。

第六条　上级公安机关交通管理部门在必要的时候,可以处理下级公安机关交通管理部门管辖的道路交通事故,或者指定下级公安机关交通管理部门限时将案件移送其他下级公安机关交通管理部门处理。

案件管辖发生转移的,处理时限从移送案件之日起计算。

第七条 军队、武警部队人员、车辆发生道路交通事故的,按照本规定处理。需要对现役军人给予行政处罚或者追究刑事责任的,移送军队、武警部队有关部门。

第三章　报警和受理

第八条 道路交通事故有下列情形之一的,当事人应当保护现场并立即报警:

(一)造成人员死亡、受伤的;

(二)发生财产损失事故,当事人对事实或者成因有争议的,以及虽然对事实或者成因无争议,但协商损害赔偿未达成协议的;

(三)机动车无号牌、无检验合格标志、无保险标志的;

(四)载运爆炸物品、易燃易爆化学物品以及毒害性、放射性、腐蚀性、传染病病源体等危险物品车辆的;

(五)碰撞建筑物、公共设施或者其他设施的;

(六)驾驶人无有效机动车驾驶证的;

(七)驾驶人有饮酒、服用国家管制的精神药品或者麻醉药品嫌疑的;

(八)当事人不能自行移动车辆的。

发生财产损失事故,并具有前款第二项至第五项情形之一,车辆可以移动的,当事人可以在报警后,在确保安全的原则下对现场拍照或者标划停车位置,将车辆移至不妨碍交通的地点等候处理。

第九条 公路上发生道路交通事故的,驾驶人必须在确保安全的原则下,立即组织车上人员疏散到公路外安全地点,避免发生次生事故。驾驶人已因道路交通事故死亡或者受伤无法行动的,车上其他人员应当自行组织疏散。

第十条 公安机关及其交通管理部门接到道路交通事故报警,应当记录下列内容:

(一)报警方式、报警时间、报警人姓名、联系方式,电话报警的,还应当记录报警电话;

(二)发生道路交通事故时间、地点;

(三)人员伤亡情况;

(四)车辆类型、车辆牌号,是否载有危险物品、危险物品的种类等;

(五)涉嫌交通肇事逃逸的,还应当询问并记录肇事车辆的车型、颜色、特征及其逃逸方向、逃逸驾驶人的体貌特征等有关情况。

报警人不报姓名的,应当记录在案。报警人不愿意公开姓名的,应当为其保密。

第十一条　公安机关交通管理部门接到道路交通事故报警或者出警指令后,应当按照规定立即派交通警察赶赴现场。有人员伤亡或者其他紧急情况的,应当及时通知急救、医疗、消防等有关部门。发生一次死亡三人以上事故或者其他有重大影响的道路交通事故,应当立即向上一级公安机关交通管理部门报告,并通过所属公安机关报告当地人民政府;涉及营运车辆的,通知当地人民政府有关行政管理部门;涉及爆炸物品、易燃易爆化学物品以及毒害性、放射性、腐蚀性、传染病病源体等危险物品的,应当立即通过所属公安机关报告当地人民政府,并通报有关部门及时处理;造成道路、供电、通讯等设施损毁的,应当通报有关部门及时处理。

第十二条　当事人未在道路交通事故现场报警,事后请求公安机关交通管理部门处理的,公安机关交通管理部门应当按照本规定第十条的规定予以记录,并在三日内作出是否受理的决定。经核查道路交通事故事实存在的,公安机关交通管理部门应当受理,并告知当事人;经核查无法证明道路交通事故事实存在,或者不属于公安机关交通管理部门管辖的,应当书面告知当事人,并说明理由。

第四章　自行协商和简易程序

第十三条　机动车与机动车、机动车与非机动车发生财产损失事故,当事人对事实及成因无争议的,可以自行协商处理损害赔偿事宜。车辆可以移动的,当事人应当在确保安全的原则下对现场拍照或者标划事故车辆现场位置后,立即撤离现场,将车辆移至不妨碍交通的地点,再进行协商。

非机动车与非机动车或者行人发生财产损失事故,基本事实及成因清楚的,当事人应当先撤离现场,再协商处理损害赔偿事宜。

对应当自行撤离现场而未撤离的,交通警察应当责令当事人撤离现场;造成交通堵塞的,对驾驶人处以200元罚款;驾驶人有其他道路交通安全违法行为的,依法一并处罚。

第十四条　具有本规定第十三条规定情形,当事人自行协商达成协议的,填写道路交通事故损害赔偿协议书,并共同签名。损害赔偿协议书内容包括事故发生的时间、地点、天气、当事人姓名、机动车驾驶证号、联系方式、机动车种类和号牌、保险凭证号、事故形态、碰撞部位、赔偿责任等内容。

第十五条　对仅造成人员轻微伤或者具有本规定第八条第一款第二项至第八项规定情形之一的财产损失事故,公安机关交通管理部门可以适用简易程序处理,但是有交通肇事犯罪嫌疑的除外。

适用简易程序的,可以由一名交通警察处理。

第十六条　交通警察适用简易程序处理道路交通事故时,应当在固定现场证据后,责令当事人撤离现场,恢复交通。拒不撤离现场的,予以强制撤离;对当事人不能自行移动车辆的,交通警察应当将车辆移至不妨碍交通的地点。具有本规定第八条第一款第六项、第七项情形之一的,按照《道路交通安全法实施条例》第一百零四条规定处理。

撤离现场后,交通警察应当根据现场固定的证据和当事人、证人叙述等,认定并记录道路交通事故发生的时间、地点、天气、当事人姓名、机动车驾驶证号、联系方式、机动车种类和号牌、保险凭证号、交通事故形态、碰撞部位等,并根据当事人的行为对发生道路交通事故所起的作用以及过错的严重程度,确定当事人的责任,制作道路交通事故认定书,由当事人签名。

第十七条 当事人共同请求调解的,交通警察应当当场进行调解,并在道路交通事故认定书上记录调解结果,由当事人签名,交付当事人。

第十八条 有下列情形之一的,不适用调解,交通警察可以在道路交通事故认定书上载明有关情况后,将道路交通事故认定书交付当事人:

(一)当事人对道路交通事故认定有异议的;

(二)当事人拒绝在道路交通事故认定书上签名的;

(三)当事人不同意调解的。

第五章 调 查

第一节 一 般 规 定

第十九条 除简易程序外,公安机关交通管理部门对道路交通事故进行调查时,交通警察不得少于二人。

交通警察调查时应当向被调查人员出示《人民警察证》,告知被调查人依法享有的权利和义务,向当事人发送联系卡。联系卡载明交通警察姓名、办公地址、联系方式、监督电话等内容。

第二十条 交通警察调查道路交通事故时,应当客观、全面、及时、合法地收集证据。

第二节 现场处置和现场调查

第二十一条 交通警察到达事故现场后,应当立即进行下列工作:

(一)划定警戒区域,在安全距离位置放置发光或者反光锥筒和警告标志,确定专人负责现场交通指挥和疏导,维护良好道路通行秩序。因道路交通事故导致交通中断或者现场处置、勘查需要采取封闭道路等交通管制措施的,还应当在事故现场来车方向提前组织分流,放置绕行提示标志,避免发生交通堵塞。

（二）组织抢救受伤人员；

（三）指挥勘查、救护等车辆停放在便于抢救和勘查的位置，开启警灯，夜间还应当开启危险报警闪光灯和示廓灯；

（四）查找道路交通事故当事人和证人，控制肇事嫌疑人。

第二十二条　道路交通事故造成人员死亡的，应当经急救、医疗人员确认，并由医疗机构出具死亡证明。尸体应当存放在殡葬服务单位或者有停尸条件的医疗机构。

第二十三条　交通警察应当对事故现场进行调查，做好下列工作：

（一）勘查事故现场，查明事故车辆、当事人、道路及其空间关系和事故发生时的天气情况；

（二）固定、提取或者保全现场证据材料；

（三）查找当事人、证人进行询问，并制作询问笔录；

（四）其他调查工作。

第二十四条　交通警察勘查道路交通事故现场，应当按照有关法规和标准的规定，拍摄现场照片，绘制现场图，提取痕迹、物证，制作现场勘查笔录。发生一次死亡三人以上道路交通事故的，应当进行现场摄像。

现场图、现场勘查笔录应当由参加勘查的交通警察、当事人或者见证人签名。当事人、见证人拒绝签名或者无法签名以及无见证人的，应当记录在案。

第二十五条　痕迹或者证据可能因时间、地点、气象等原因导致灭失的，交通警察应当及时固定、提取或者保全。

车辆驾驶人有饮酒或者服用国家管制的精神药品、麻醉药品嫌疑的，公安机关交通管理部门应当按照《道路交通安全违法行为处理程序规定》及时抽血或者提取尿样，送交有检验资格的机构进行检验；车辆驾驶人当场死亡的，应当及时抽血检验。

第二十六条　交通警察应当检查当事人的身份证件、机动车驾驶证、机动车行驶证、保险标志等；对交通肇事嫌疑人可以依法传唤。

第二十七条　交通警察勘查事故现场完毕后，应当清点并登记现场遗留物品，迅速组织清理现场，尽快恢复交通。

现场遗留物品能够现场发还的，应当现场发还并做记录；现场无法确定所有人的，应当妥善保管，待所有人确定后，及时发还。

第二十八条　因收集证据的需要，公安机关交通管理部门可以扣留事故车辆及机动车行驶证，并开具行政强制措施凭证。扣留的车辆及机动车行驶证应当妥善保管。

公安机关交通管理部门不得扣留事故车辆所载货物。对所载货物在核实重量、体积及货物损失后，通知机动车驾驶人或者货物所有人自行处理。无法通知当事人或者当事人不自行处理的,按照《公安机关办理行政案件程序规定》的有关规定办理。

第二十九条 因收集证据的需要,公安机关交通管理部门可以扣押与事故有关的物品,并开具扣押物品清单一式两份,一份交给被扣押物品的持有人,一份附卷。扣押的物品应当妥善保管。

扣押期限不得超过三十日,案情重大、复杂的,经本级公安机关负责人或者上一级公安机关交通管理部门负责人批准可以延长三十日;法律、法规另有规定的除外。

第三十条 公安机关交通管理部门经过现场调查认为不属于道路交通事故的,应当书面通知当事人,并将案件移送有关部门或者告知当事人处理途径。

公安机关交通管理部门在调查过程中,发现当事人有交通肇事犯罪嫌疑的,应当按照《公安机关办理刑事案件程序规定》立案侦查。发现当事人有其他违法犯罪嫌疑的,应当及时移送有关部门,移送不影响事故的调查和处理。

第三十一条 投保机动车交通事故责任强制保险的车辆发生道路交通事故,因抢救受伤人员需要保险公司支付抢救费用的,公安机关交通管理部门书面通知保险公司。

抢救受伤人员需要道路交通事故社会救助基金垫付费用的,公安机关交通管理部门书面通知道路交通事故社会救助基金管理机构。

第三节 交通肇事逃逸查缉

第三十二条 公安机关交通管理部门应当根据管辖区域和道路情况,制定交通肇事逃逸案件查缉预案。

发生交通肇事逃逸案件后,公安机关交通管理部门应当根据当事人陈述、证人证言、交通事故现场痕迹、遗留物等线索,及时启动查缉预案,布置堵截和查缉。

第三十三条 案发地公安机关交通管理部门可以通过发协查通报、向社会公告等方式要求协查、举报交通肇事逃逸车辆或者侦破线索。发出协查通报或者向社会公告时,应当提供交通肇事逃逸案件基本事实、交通肇事逃逸车辆情况、特征及逃逸方向等有关情况。

第三十四条 接到协查通报的公安机关交通管理部门,应当立即布置堵截或者排查。发现交通肇事逃逸车辆或者嫌疑车辆的,应当予以扣留,依法传唤交通肇事逃逸人或者与协查通报相符的嫌疑人,并及时将有关情况通知案发地公安机关交通管理部门。案发地公安机关交通管理部门应当立即派交通警察前往办理移交。

第三十五条 公安机关交通管理部门查获交通肇事逃逸车辆后,应当按原范围发出撤销协查通报。

第三十六条 公安机关交通管理部门侦办交通肇事逃逸案件期间,交通肇事逃逸案件的受害人及其家属向公安机关交通管理部门询问案件侦办情况的,公安机关交通管理部门应当告知。

第四节 检验、鉴定

第三十七条 需要进行检验、鉴定的,公安机关交通管理部门应当自事故现场调查结束之日起三日内委托具备资格的鉴定机构进行检验、鉴定。尸体检验应当在死亡之日起三日内委托。

对现场调查结束之日起三日后需要检验、鉴定的,应当报经上一级公安机关交通管理部门批准。

对精神病的鉴定,应当由省级人民政府指定的医院进行。

第三十八条 公安机关交通管理部门应当与检验、鉴定机构约定检验、鉴定完成的期限,约定的期限不得超过二十日。超过二十日的,应当报经上一级公安机关交通管理部门批准,但最长不得超过六十日。

第三十九条 卫生行政主管部门许可的医疗机构具有执业资格的医生为道路交通事故受伤人员出具的诊断证明,公安机关交通管理部门可以作为认定人身伤害程度的依据。

第四十条 检验尸体不得在公众场合进行。检验中需要解剖尸体的,应当征得其家属的同意。

解剖未知名尸体,应当报经县级以上公安机关或者上一级公安机关交通管理部门负责人批准。

第四十一条 检验尸体结束后,应当书面通知死者家属在十日内办理丧葬事宜。无正当理由逾期不办理的应记录在案,并经县级以上公安机关负责人批准,由公安机关处理尸体,逾期存放的费用由死者家属承担。

对未知名尸体,由法医提取人身识别检材,并对尸体拍照、采集相关信息后,由公安机关交通管理部门填写未知名尸体信息登记表,并在设区市级以上报纸刊登认尸启事。登报后三十日仍无人认领的,由县级以上公安机关负责人或者上一级公安机关交通管理部门负责人批准处理尸体。

第四十二条 检验、鉴定机构应当在约定或者规定的期限内完成检验、鉴定,并出具书面检验、鉴定报告,由检验、鉴定人签名并加盖机构印章。检验、鉴定报告应当载明以下事项:

(一)委托人;

(二)委托事项;

(三)提交的相关材料;

（四）检验、鉴定的时间；

（五）依据和结论性意见，通过分析得出结论性意见的，应当有分析过程的说明。

第四十三条　公安机关交通管理部门应当在收到检验、鉴定报告之日起二日内，将检验、鉴定报告复印件送达当事人。

当事人对检验、鉴定结论有异议的，可以在公安机关交通管理部门送达之日起三日内申请重新检验、鉴定，经县级公安机关交通管理部门负责人批准后，进行重新检验、鉴定。重新检验、鉴定应当另行委托检验、鉴定机构或者由原检验、鉴定机构另行指派鉴定人。公安机关交通管理部门应当在收到重新检验、鉴定报告之日起二日内，将重新检验、鉴定报告复印件送达当事人。重新检验、鉴定以一次为限。

第四十四条　检验、鉴定结论确定之日起五日内，公安机关交通管理部门应当通知当事人领取扣留的事故车辆、机动车行驶证以及扣押的物品。

对驾驶人逃逸的无主车辆或者经通知当事人三十日后仍不领取的车辆，经公告三个月仍不来接受处理的，对扣留的车辆依法处理。

第六章　认定与复核

第一节　道路交通事故认定

第四十五条　道路交通事故认定应当做到程序合法、事实清楚、证据确实充分、适用法律正确、责任划分公正。

第四十六条　公安机关交通管理部门应当根据当事人的行为对发生道路交通事故所起的作用以及过错的严重程度，确定当事人的责任。

（一）因一方当事人的过错导致道路交通事故的，承担全部责任；

（二）因两方或者两方以上当事人的过错发生道路交通事故的，根据其行为对事故发生的作用以及过错的严重程度，分别承担主要责任、同等责任和次要责任；

（三）各方均无导致道路交通事故的过错，属于交通意外事故的，各方均无责任。

一方当事人故意造成道路交通事故的，他方无责任。

省级公安机关可以根据有关法律、法规制定具体的道路交通事故责任确定细则或者标准。

第四十七条　公安机关交通管理部门应当自现场调查之日起十日内制作道路交通事故认定书。交通肇事逃逸案件在查获交通肇事车辆和驾驶人后十日内制作道路交通事故认定书。对需要进行检验、鉴定的，应当在检验、鉴定结论确定之日起五日内制作道路交通事故认定书。

发生死亡事故,公安机关交通管理部门应当在制作道路交通事故认定书前,召集各方当事人到场,公开调查取得证据。证人要求保密或者涉及国家秘密、商业秘密以及个人隐私的证据不得公开。当事人不到场的,公安机关交通管理部门应当予以记录。

第四十八条 道路交通事故认定书应当载明以下内容:

(一)道路交通事故当事人、车辆、道路和交通环境等基本情况;

(二)道路交通事故发生经过;

(三)道路交通事故证据及事故形成原因的分析;

(四)当事人导致道路交通事故的过错及责任或者意外原因;

(五)作出道路交通事故认定的公安机关交通管理部门名称和日期。

道路交通事故认定书应当由办案民警签名或者盖章,加盖公安机关交通管理部门道路交通事故处理专用章,分别送达当事人,并告知当事人向公安机关交通管理部门申请复核、调解和直接向人民法院提起民事诉讼的权利、期限。

第四十九条 逃逸交通事故尚未侦破,受害一方当事人要求出具道路交通事故认定书的,公安机关交通管理部门应当在接到当事人书面申请后十日内制作道路交通事故认定书,并送达受害一方当事人。道路交通事故认定书应当载明事故发生的时间、地点、受害人情况及调查得到的事实,有证据证明受害人有过错的,确定受害人的责任;无证据证明受害人有过错的,确定受害人无责任。

第五十条 道路交通事故成因无法查清的,公安机关交通管理部门应当出具道路交通事故证明,载明道路交通事故发生的时间、地点、当事人情况及调查得到的事实,分别送达当事人。

第二节 复 核

第五十一条 当事人对道路交通事故认定有异议的,可以自道路交通事故认定书送达之日起三日内,向上一级公安机关交通管理部门提出书面复核申请。

复核申请应当载明复核请求及其理由和主要证据。

第五十二条 上一级公安机关交通管理部门收到当事人书面复核申请后五日内,应当作出是否受理决定。有下列情形之一的,复核申请不予受理,并书面通知当事人。

(一)任何一方当事人向人民法院提起诉讼并经法院受理的;

(二)人民检察院对交通肇事犯罪嫌疑人批准逮捕的;

(三)适用简易程序处理的道路交通事故;

(四)车辆在道路以外通行时发生的事故。

公安机关交通管理部门受理复核申请的,应当书面通知各方当事人。

第五十三条　上一级公安机关交通管理部门自受理复核申请之日起三十日内,对下列内容进行审查,并作出复核结论:

(一)道路交通事故事实是否清楚,证据是否确实充分,适用法律是否正确;

(二)道路交通事故责任划分是否公正;

(三)道路交通事故调查及认定程序是否合法。

复核原则上采取书面审查的办法,但是当事人提出要求或者公安机关交通管理部门认为有必要时,可以召集各方当事人到场,听取各方当事人的意见。

复核审查期间,任何一方当事人就该事故向人民法院提起诉讼并经法院受理的,公安机关交通管理部门应当终止复核。

第五十四条　上一级公安机关交通管理部门经审查认为原道路交通事故认定事实不清、证据不确实充分、责任划分不公正、或者调查及认定违反法定程序的,应当作出复核结论,责令原办案单位重新调查、认定。

上一级公安机关交通管理部门经审查认为原道路交通事故认定事实清楚、证据确实充分、适用法律正确、责任划分公正、调查程序合法的,应当作出维持原道路交通事故认定的复核结论。

第五十五条　上一级公安机关交通管理部门作出复核结论后,应当召集事故各方当事人,当场宣布复核结论。当事人没有到场的,应当采取其他法定形式将复核结论送达当事人。

上一级公安机关交通管理部门复核以一次为限。

第五十六条　上一级公安机关交通管理部门作出责令重新认定的复核结论后,原办案单位应当在十日内依照本规定重新调查,重新制作道路交通事故认定书,撤销原道路交通事故认定书。

重新调查需要检验、鉴定的,原办案单位应当在检验、鉴定结论确定之日起五日内,重新制作道路交通事故认定书,撤销原道路交通事故认定书。

重新制作道路交通事故认定书的,原办案单位应当送达各方当事人,并书面报上一级公安机关交通管理部门备案。

第七章　处罚执行

第五十七条　公安机关交通管理部门应当在作出道路交通事故认定之日起五日内,对当事人的道路交通安全违法行为依法作出处罚。

第五十八条　对发生道路交通事故构成犯罪,依法应当吊销驾驶人机动车驾驶证的,应当在人民法院作出有罪判决后,由设区市公安机关交通管理部门依法吊销机动车驾驶证;同时具有逃逸情形的,公安机关交通管理部门应当同时依法作出终生不得重新取得机动车驾驶证的决定。

第五十九条 专业运输单位六个月内两次发生一次死亡三人以上道路交通事故,且单位或者车辆驾驶人对事故承担全部责任或者主要责任的,专业运输单位所在地的公安机关交通管理部门应当报经设区市公安机关交通管理部门批准后,作出责令限期消除安全隐患的决定,禁止未消除安全隐患的机动车上道路行驶,并通报道路交通事故发生地及运输单位属地的人民政府有关行政管理部门。

第八章 损害赔偿调解

第六十条 当事人对道路交通事故损害赔偿有争议,各方当事人一致请求公安机关交通管理部门调解的,应当在收到道路交通事故认定书或者上一级公安机关交通管理部门维持原道路交通事故认定的复核结论之日起十日内,向公安机关交通管理部门提出书面申请。

第六十一条 公安机关交通管理部门应当按照合法、公正、自愿、及时的原则,并采取公开方式进行道路交通事故损害赔偿调解。调解时允许旁听,但是当事人要求不予公开的除外。

第六十二条 公安机关交通管理部门应当与当事人约定调解的时间、地点,并于调解时间三日前通知当事人。口头通知的,应当记入调解记录。调解参加人因故不能按期参加调解的,应当在预定调解时间一日前通知承办的交通警察,请求变更调解时间。

第六十三条 参加损害赔偿调解的人员包括:

(一)道路交通事故当事人及其代理人;

(二)道路交通事故车辆所有人或者管理人;

(三)公安机关交通管理部门认为有必要参加的其他人员。

委托代理人应当出具由委托人签名或者盖章的授权委托书。授权委托书应当载明委托事项和权限。

参加调解时当事人一方不得超过三人。

第六十四条 公安机关交通管理部门应当按照下列规定日期开始调解,并于十日内制作道路交通事故损害赔偿调解书或者道路交通事故损害赔偿调解终结书:

(一)造成人员死亡的,从规定的办理丧葬事宜时间结束之日起;

(二)造成人员受伤的,从治疗终结之日起;

(三)因伤致残的,从定残之日起;

(四)造成财产损失的,从确定损失之日起。

第六十五条 交通警察调解道路交通事故损害赔偿,按照下列程序实施:

(一)告知道路交通事故各方当事人的权利、义务;

（二）听取当事人各方的请求；

（三）根据道路交通事故认定书认定的事实以及《中华人民共和国道路交通安全法》第七十六条的规定，确定当事人承担的损害赔偿责任；

（四）计算损害赔偿的数额，确定各方当事人各自承担的比例，人身损害赔偿的标准按照《最高人民法院关于审理人身损害赔偿案件适用法律若干问题的解释》规定执行，财产损失的修复费用、折价赔偿费用按照实际价值或者评估机构的评估结论计算；

（五）确定赔偿履行方式及期限。

第六十六条　经调解达成协议的，公安机关交通管理部门应当当场制作道路交通事故损害赔偿调解书，由各方当事人签字，分别送达各方当事人。

调解书应当载明以下内容：

（一）调解依据；

（二）道路交通事故认定书认定的基本事实和损失情况；

（三）损害赔偿的项目和数额；

（四）各方的损害赔偿责任及比例；

（五）赔偿履行方式和期限；

（六）调解日期。

经调解各方当事人未达成协议的，公安机关交通管理部门应当终止调解，制作道路交通事故损害赔偿调解终结书送达各方当事人。

第六十七条　有下列情形之一的，公安机关交通管理部门应当终止调解，并记录在案：

（一）在调解期间有一方当事人向人民法院提起民事诉讼的；

（二）一方当事人无正当理由不参加调解的；

（三）一方当事人调解过程中退出调解的。

第九章　涉外道路交通事故处理

第六十八条　外国人在中华人民共和国境内发生道路交通事故的，除按照本规定执行外，还应当按照办理涉外案件的有关法律、法规、规章的规定执行。

公安机关交通管理部门处理外国人发生的道路交通事故，应当告知当事人我国法律、法规规定的当事人在处理道路交通事故中的权利和义务。

第六十九条　外国人发生道路交通事故，在未处理完毕前，公安机关可以依法不准其出境。

第七十条　外国人发生道路交通事故并承担全部责任或者主要责任的，公安机关交通管理部门应当告知道路交通事故损害赔偿权利人可以向人民法院提出采取诉前财产保全措施的请求。

第七十一条 公安机关交通管理部门在处理道路交通事故过程中,使用中华人民共和国通用的语言文字。对不通晓我国语言文字的,应当为其提供翻译;当事人通晓我国语言文字而不需要他人翻译的,应当出具书面声明。

经公安机关交通管理部门批准,外国籍当事人可以自己聘请翻译,翻译费由当事人承担。

第七十二条 享有外交特权与豁免的外国人发生道路交通事故时,交通警察认为应当给予暂扣或者吊销机动车驾驶证处罚的,可以扣留其机动车驾驶证。需要检验、鉴定车辆的,公安机关交通管理部门应当征得其同意,并在检验、鉴定后立即发还;其不同意检验、鉴定的,记录在案,不强行检验、鉴定。需要对享有外交特权和豁免的外国人进行调查的,可以约谈,谈话时仅限于与道路交通事故有关的内容;本人不接受调查的,记录在案。

公安机关交通管理部门应当根据收集的证据,制作道路交通事故认定书送达当事人,当事人拒绝接收的,送达至其所在机构。

享有外交特权与豁免的外国人拒绝接受调查或者检验、鉴定的,其损害赔偿事宜通过外交途径解决。

第七十三条 公安机关交通管理部门处理享有外交特权与豁免的外国人发生人员死亡事故的,应当将其身份、证件及事故经过、损害后果等基本情况记录在案,并将有关情况迅速通报省级人民政府外事部门和该外国人所属国家的驻华使馆或者领馆。

第七十四条 外国驻华领事机构、国际组织、国际组织驻华代表机构享有特权与豁免的人员发生道路交通事故的,公安机关交通管理部门参照本规定第七十三条、第七十四条规定办理,但《中华人民共和国领事特权与豁免条例》、中国已参加的国际公约以及我国与有关国家或者国际组织缔结的协议有不同规定的除外。

第十章 执法监督

第七十五条 公安机关警务督察部门可以依法对公安机关交通管理部门及其交通警察处理交通事故工作进行现场督察,查处违法违纪行为。

上级公安机关交通管理部门对下级公安机关交通管理部门处理道路交通事故工作进行监督,发现错误应当及时纠正。

第七十六条 交通警察违反本规定,故意或者过失造成认定事实错误、适用法律错误、违反法定程序或者其他执法错误的,应当依照有关规定,根据其违法事实、情节、后果和责任程度,追究执法过错责任人员行政责任、经济责任和刑事责任;造成严重后果、恶劣影响的,还应当追究公安机关交通管理部门领导责任。

第七十七条　交通警察或者公安机关检验、鉴定人员需要回避的,由本级公安机关交通管理部门负责人或者检验、鉴定人员所属的公安机关决定。公安机关交通管理部门负责人需要回避的,由公安机关负责人或者上一级公安机关交通管理部门负责人决定。

对当事人提出的回避申请,公安机关交通管理部门应当在二日内作出决定,并通知申请人。

第七十八条　人民法院、人民检察院审理、审查道路交通事故案件,需要公安机关交通管理部门提供有关证据的,公安机关交通管理部门应当在接到调卷公函之日起三日内,或者按照其时限要求,将道路交通事故案件调查材料正本移送人民法院或者人民检察院。

第七十九条　公安机关交通管理部门对查获交通肇事逃逸车辆及人员提供有效线索或者协助的人员、单位,应当给予表彰和奖励。

公安机关交通管理部门及其交通警察接到协查通报不配合协查并造成严重后果的,由公安机关或者上级公安机关交通管理部门追究有关人员和单位主管领导的责任。

第八十条　除涉及国家秘密、商业秘密或者个人隐私,以及应当事人、证人要求保密的内容外,当事人及其代理人收到道路交通事故认定书后,可以查阅、复制、摘录公安机关交通管理部门处理道路交通事故的证据材料。公安机关交通管理部门对当事人复制的证据材料应当加盖公安机关交通管理部门事故处理专用章。

第十一章　附　　则

第八十一条　道路交通事故处理资格等级管理规定由公安部另行制定,资格证书式样全国统一。

第八十二条　公安机关交通管理部门应当在邻省、市(地)、县交界的国、省、县道上,以及辖区内交通流量集中的路段,设置标有管辖地公安机关交通管理部门名称及道路交通事故报警电话号码的提示牌。

第八十三条　车辆在道路以外通行时发生的事故,公安机关交通管理部门接到报案的,参照本规定处理。涉嫌犯罪的,及时移送有关部门。

第八十四条　执行本规定所需要的法律文书式样,由公安部制定。公安部没有制定式样,执法工作中需要的其他法律文书,省级公安机关可以制定式样。

当事人自行协商处理损害赔偿事宜的,可以自行制作协议书,但应当符合本规定第十四条关于协议书内容的规定。

第八十五条　本规定中下列用语的含义:

（一）"交通肇事逃逸"，是指发生道路交通事故后，道路交通事故当事人为逃避法律追究，驾驶车辆或者遗弃车辆逃离道路交通事故现场的行为。

（二）"检验、鉴定结论确定"，是指检验、鉴定报告复印件送达当事人之日起三日内，当事人未申请重新检验、鉴定的，以及公安机关交通管理部门批准重新检验、鉴定，检验、鉴定机构出具检验、鉴定意见的。

（三）本规定所称的"一日"、"二日"、"三日"、"五日"、"十日"、"二十日"，是指工作日，不包括节假日。

（四）本规定所称的"以上"、"以下"均包括本数在内。

（五）"县级（以上）公安机关交通管理部门"，是指县级（以上）人民政府公安机关交通管理部门或者相当于同级的公安机关交通管理部门。"设区市公安机关交通管理部门"，是指设区的市人民政府公安机关交通管理部门或者相当于同级的公安机关交通管理部门。"设区市公安机关"，是指设区的市人民政府公安机关或者相当于同级的公安机关。

（六）"死亡事故"，是指造成人员死亡的道路交通事故。

（七）"财产损失事故"，是指仅造成财产损失的道路交通事故。

第八十六条 本规定没有规定的道路交通事故案件办理程序，依照《公安机关办理行政案件程序规定》、《公安机关办理刑事案件程序规定》的有关规定执行。

第八十七条 本规定自 2009 年 1 月 1 日起施行。2004 年 4 月 30 日发布的《交通事故处理程序规定》（公安部令第 70 号）同时废止。本规定施行后，与本规定不一致的，以本规定为准。

收费公路权益转让办法

（2008 年 8 月 20 日交通运输部、国家发展和改革委员会、财政部令第 11 号公布 自 2008 年 10 月 1 日起施行）

第一章 总 则

第一条 为了规范收费公路权益转让行为，维护转让方、受让方以及使用者的合法权益，促进公路事业发展，根据《中华人民共和国公路法》（以下简称《公路法》）、《收费公路管理条例》（以下简称《收费条例》）制定本办法。

第二条 在中华人民共和国境内转让收费公路权益，应当遵守本办法。

第三条 本办法下列用语的含义是：

（一）收费公路，是指按照《公路法》和《收费条例》规定，经批准依法收取车辆通行费的公路(含桥梁和隧道)。收费公路包括政府还贷公路和经营性公路。

政府还贷公路,是指县级以上地方人民政府交通运输主管部门利用贷款或者向企业、个人有偿集资建成的收费公路。

经营性公路,是指国内外经济组织依法投资建设或者依法受让政府还贷公路收费权的收费公路。

(二)收费公路权益,是指收费公路的收费权、广告经营权、服务设施经营权。

(三)收费公路权益转让,是指收费公路建成通车后,转让方将其合法取得的收费公路权益有偿转让给受让方的交易活动。

转让方是指将合法取得的收费公路权益依法有偿转让给受让方的国内外经济组织,包括不以营利为目的的专门建设和管理政府还贷公路的法人组织和投资建设经营经营性公路的国内外经济组织。

受让方是指依法从转让方有偿取得收费公路权益的国内外经济组织。

第四条 国家允许依法转让收费公路权益,同时对收费公路权益的转让进行严格控制。

国家在综合考虑转让必要性、合理性、社会承受力等因素的基础上,严格限制政府还贷公路转让为经营性公路。

收费公路权益转让活动,应当遵守相关法律、法规、规章的规定,应当遵循公开、公平、公正和诚实信用的原则。

第五条 国务院交通运输主管部门主管全国收费公路权益的转让工作。国务院发展改革部门和财政主管部门依据各自职责,负责收费公路权益转让的相关管理工作。

第二章 收费公路权益转让条件

第六条 转让收费权的公路,应当符合《收费条例》第十八条规定的技术等级和规模。

第七条 有下列情形之一的,收费公路权益中的收费权不得转让:

(一)长度小于1000米的二车道独立桥梁和隧道;

(二)二级公路;

(三)收费时间已超过批准收费期限2/3。

第八条 同一个收费公路项目的收费权、广告经营权、服务设施经营权,可以合并转让,也可以单独转让。

第九条 转让收费公路权益,不得有下列行为:

(一)将一个依法批准的收费公路项目分成若干段转让收费权;

(二)将收费公路权益项目与非收费公路权益项目捆绑转让;

（三）受让方没有全部承继转让方原对政府和社会公众承担的责任、义务；

（四）将政府还贷公路权益无偿划转给企业法人。

第十条 转让尚未偿清国际金融组织或者外国政府贷款的收费公路权益的，应当按照国家相关规定在申请转让审批前经原利用国外贷款审批部门同意。

收费公路权益转让的受让方应当按照国家有关投资管理的相关规定，在申请转让审批前将投资项目申请报告报有相应管理权限的投资主管部门核准。申请核准时应当同时提交收费公路权益转让合同。

第十一条 转让公路收费权，应当征得下列利害关系人同意：

（一）该公路的债权人；

（二）该公路收费权的质权人；

（三）该公路的所有投资人；

（四）公路的投资建设合同和转让公路收费权合同中约定转让及再转让时要征得其同意的人。

第十二条 公路收费权的受让方应当具备下列条件：

（一）财务状况良好，企业所有者权益不低于受让项目实际造价的35%；

（二）商业信誉良好，在经济活动中无重大违法违规行为；

（三）法律、法规规定的其他条件。

单独转让公路广告经营权、服务设施经营权时，其受让方应当具备的条件，按照地方性法规和省级人民政府规章执行。

第十三条 转让政府还贷公路收费权，可以向省级人民政府申请延长收费期限，但延长的期限不得超过5年，且累计收费期限的总和最长不得超过20年。国家确定的中西部省、自治区、直辖市政府还贷公路累计收费期限的总和，最长不得超过25年。

转让经营性公路收费权，不得延长收费期限，且累计收费期限的总和最长不得超过25年。国家确定的中西部省、自治区、直辖市经营性公路累计收费期限的总和，最长不得超过30年。

不得以转让公路收费权为由提高车辆通行费标准。

第三章 收费公路权益转让程序

第十四条 转让公路收费权，在办理转让审批前，转让方可以先向审批机关提出转让立项申请。

提出转让立项申请的，需要提交以下材料：

（一）转让收费权的公路概况，包括公路建设年限、技术等级和规模，投资来源和投资额，通车收费时间，近三年该收费公路的收支情况等；

（二）转让的原因和目的；

（三）转让政府还贷公路所得收入的投向；

（四）本办法第十一条规定的利害关系人同意转让的书面意见；

（五）转让尚未偿清国际金融组织或者外国政府贷款的收费公路权益的，出具原利用国外贷款审批部门的书面同意意见；

（六）省级人民政府批准收取车辆通行费的文件；

（七）经审计机关或者有资格的会计师事务所审计的上一年度会计报告；

（八）首次转让公路收费权的，提供该收费公路竣工财务决算和竣工审计报告；

（九）转让经营性公路收费权的，提供公司章程；

（十）再次转让公路收费权的，提供原转让协议；

（十一）审批机关认为需要提供的其他文件。

第十五条　审批机关收到转让立项申请后，应当对申请转让的收费权是否符合转让条件进行初步审查，并出具转让立项审查意见。

转让立项审查意见可以作为转让方在作转让前期准备工作时证明拟转让的公路收费权符合转让条件的依据。

转让立项审查意见自出具之日起一年内有效。

第十六条　转让下列收费公路的收费权，转让方应当委托符合条件的资产评估机构，对收费权价值进行评估：

（一）政府还贷公路；

（二）有财政性资金投入的经营性公路；

（三）使用国有资本金投资的公路。

资产评估机构出具的评估报告，是确定前款规定收费公路的收费权转让最低成交价的依据。

转让方对资产评估机构出具的资产评估报告，应当按照国家有关资产评估的规定，报有关部门核准或者备案。

第十七条　转让方按照第十六条规定进行收费权价值评估的，应当委托符合下列条件的资产评估机构：

（一）具有法律、行政法规规定的资产评估资质；

（二）评估机构的人员具备与公路收费权价值评估相适应的专业知识和经验；

（三）评估机构和人员近三年未发生违规行为，未有违规不良记录。

第十八条　转让收费公路权益进行收费权价值评估，评估方法应当采用收益现值法，所涉及的收益期限由转让方与资产评估机构在批准的收费期限内约定。

第十九条　转让政府还贷公路收费权益和有财政性资金投入的经营性公路收费权益，应当采用公开招标的方式，公平、公正、公开选择受让方。

第二十条　收费公路权益转让的招标投标活动，应当严格执行《中华人民共和国招标投标法》等有关规定。

省级人民政府交通运输主管部门负责对收费公路权益转让招标投标全过程的监督管理。省级人民政府发展改革部门、财政主管部门依据各自职责,负责招标投标活动的监督。

第二十一条 进行收费公路权益转让招标的,转让方应当通过国家指定的报刊、信息网络或者其他媒介,发布招标公告。公告期不得少于 20 日。

第二十二条 转让政府还贷公路权益和有财政性资金投入以及使用国有资本金投资的经营性公路权益进行招标的,应当实行有底价招标。其中转让收费权的招标底价不得低于有关部门核准或者确认的收费权价值评估价。

第二十三条 转让方应当依法编制招标文件。招标文件应当包括下列内容:

(一)招标项目的基本情况,包括项目建设年限、通车时间、技术等级和规模、投资来源和投资额、近年收支情况等;

(二)受让方应当具备的条件及有关资格和资信要求。转让政府还贷公路权益和有财政性资金投入的经营性公路权益的,应当要求受让方承诺所成立的公路经营企业不对外提供担保,包括为受让方债务提供任何形式的担保,不承担受让方的债务;

(三)受让方的权利和义务;

(四)转让金的支付形式、期限(最长不超过合同生效后 6 个月)及担保要求;

(五)经营期间公路养护、绿化及水土保持要求;

(六)经营终结后解散和清算的程序,公路权益移交时公路及公路附属设施、服务设施的标准;

(七)受让方或其设立的公路经营企业破产,终止、解除转让协议的条件;

(八)政府终止收费公路权益转让协议的条件;

(九)投标文件的编制要求及其送达方式、地点和截止时间;

(十)开标地点及开标和评标的时间安排;

(十一)评标标准、评标办法、评标程序、确定废标的因素;

(十二)签订的转让合同的主要条款;

(十三)职工安置方案;

(十四)债权债务处理方案;

(十五)其他需要说明的问题。

第二十四条 受让方确定后,转让方和受让方应当依法订立收费公路权益转让合同。

转让合同应当包括下列条款:

(一)转让方与受让方的名称与住所;

(二)项目名称和经营内容;

（三）经营范围和转让期限；

（四）转让价格及支付价款的时间（最长不超过合同生效后6个月）和方式；

（五）有关资产交割事项；

（六）转让方涉及的职工安置方案；

（七）转让方的权利和义务；

（八）受让方的权利和义务；

（九）公路养护和服务质量保障措施（包括建立养护维修保证金等）；

（十）经营风险的承担责任；

（十一）公路养护责任；

（十二）公路移交的方式和时间；

（十三）争议的解决方式；

（十四）各方的违约责任；

（十五）合同变更和解除的条件；

（十六）转让合同期满后公路收费权的归属和移交事项；

（十七）转让和受让双方认为必要的其他条款。

第二十五条 公路收费权益转让合同自公路收费权转让批准之日起生效。

第二十六条 转让国道（包括国道主干线和国家高速公路网项目，下同）收费权，应当经国务院交通运输主管部门批准。转让国道以外的其他公路收费权，应当经省级交通运输主管部门审核同意，报省级人民政府批准。

将公路广告经营权、服务设施经营权与公路收费权合并转让的，由具有审批公路收费权权限的审批机关批准。

单独转让公路广告经营权、服务设施经营权的审批，按照地方性法规和省级人民政府规章执行。

第二十七条 申请转让公路收费权的，转让方应当向审批机关提交申请文件，内容应当包括：

（一）提出过立项申请的，需提交转让立项审查意见；未提出过立项申请的，需提交第十四条规定的相关材料；

（二）转让前期按照规定进行收费权价值评估的有关材料和资产评估报告的核准或者备案文件等；

（三）转让前期招标投标情况和受让方的确定情况；

（四）审计部门或者会计师事务所出具的受让方上年度会计报告和受让方的法人营业执照副本；

（五）按照第十条规定办理的相关手续和书面同意意见；

（六）转让收入的具体投向；

（七）公路收费权益管理情况；

（八）转让方、受让方签订的公路收费权益转让合同；

（九）审批机关认为需要提供的其他文件。

第二十八条 审批机关应当按照《行政许可法》和相关规定的要求，办理公路收费权转让审批。

审批机关在审查收费公路权益转让申请时，应当综合考虑维护国家利益、社会公共利益的因素。

同意转让公路收费权的，审批机关应当出具公路收费权转让批准文件。

第二十九条 由省级人民政府批准转让公路收费权的，转让方自批准之日起30日内，应当将省级交通运输主管部门审核意见、省级人民政府批准文件和转让合同报国务院交通运输主管部门备案。

第三十条 国务院交通运输主管部门应当自批准公路收费权转让之日起30日内，将批准文件抄送国务院发展改革主管部门和财政主管部门。

第三十一条 转让方应当对所提交申请材料的真实性、合法性负责。

第四章 转让收入使用管理

第三十二条 转让政府还贷公路权益的收入，除用于偿还公路建设贷款和有偿集资款外，应当全部用于公路建设。任何单位不得将转让政府还贷公路权益的收入用于公路建设以外的其他项目。

转让有财政性资金投入的经营性公路权益取得的收入中与财政性资金投入份额相应的收入部分，除用于偿还公路建设贷款外，主要用于公路建设。

第三十三条 转让全部由社会资金投入的经营性公路权益取得的收入，由投资者自行决定转让收入使用方向。

国家有关部门应当鼓励投资者将这部分收入继续投入公路建设项目。

第三十四条 转让政府还贷公路权益和转让有财政性资金投入的经营性公路权益取得的收入中与财政性资金投入份额相应的收入部分，纳入预算管理。转让方应当在取得上述转让收入的3个工作日内，按照规定的预算级次上缴财政。实行非税收入收缴管理制度改革的，按照改革的相关规定执行。财政主管部门应当将转让收入纳入当年财政收支预算，资金拨付按照财政国库管理制度有关规定执行。

第五章 收费公路权益转让后续管理及收回

第三十五条 受让方依法拥有转让期限内的公路收费权益，转让收费公路权益的公路、公路附属设施的所有权仍归国家所有。

第三十六条　收费公路权益转让合同约定的转让期限届满,转让收费公路权益的公路、公路附属设施以及服务设施应当处于良好的技术状态,由国家无偿收回,由交通运输主管部门管理。

收费公路权益转让期限未满,因社会公共利益需要等原因国家提前收回转让的收费公路权益的,接收收费公路权益的交通运输主管部门依法给予受让方补偿。最高补偿额按照原转让价格和提前收回的期限占原批准转让期限的比例计算确定。

第三十七条　收费公路权益转让后,该公路路政管理的职责仍然由县级以上地方人民政府交通运输主管部门或者公路管理机构的派出机构、人员行使。

第三十八条　受让方在依法取得收费公路权益后,依法成立的公路经营企业应当按照国家规定的标准和规范要求,做好公路养护管理、绿化以及公路用地范围内的水土保持工作,并对收费公路及沿线设施进行日常检查、检测、维护,保证收费公路处于良好的技术状态。

公路经营企业应当根据交通运输主管部门要求,定期提供公路技术状况检测报告。

第三十九条　公路经营企业应当接受国务院交通运输主管部门和省、自治区、直辖市人民政府交通运输主管部门的行业管理,按要求实行联网收费,并遵守路网的其他统一要求,及时提供统计资料和有关经营情况。

第四十条　收费公路权益转让后,省、自治区、直辖市交通运输主管部门应当对该收费公路的收费管理和养护情况实施监督检查。

收费公路权益转让合同约定的转让期限届满前6个月,省、自治区、直辖市人民政府交通运输主管部门应当对转让权益的收费公路进行鉴定和验收。经鉴定和验收,公路符合收费公路权益转让时核定的技术等级和标准的,公路经营企业方可按照国家有关规定,在转让期限届满时向交通运输主管部门办理公路移交手续;不符合转让收费公路权益时核定的技术等级和标准的,公路经营企业应当在交通运输主管部门确定的期限内进行养护,达到要求后,方可按照规定办理公路移交手续。转让期限届满仍未达到要求的,交通运输主管部门应当收回公路收费权,办理公路移交手续,指定其他单位进行养护,养护费用由原公路经营企业承担。

第六章　法律责任

第四十一条　违反本办法的规定,擅自批准收费公路权益转让的,按《收费条例》第四十七条的规定查处。

第四十二条　违反本办法第九条的规定,由国务院交通运输主管部门或者省级交通运输主管部门依据职权,责令改正;对负有责任的主管人员和其他直接责任人员依法给予行政处分;构成犯罪的,依法追究刑事责任。

第四十三条 违反本办法的规定,转让方应当通过招标选择受让方而未进行招标,或者招标的程序、内容不符合本办法的规定,按照《中华人民共和国招标投标法》的有关规定查处。

第四十四条 违反本办法的规定,社会中介机构在对收费公路权益转让项目进行审计或者评估时弄虚作假,或者出具的会计报告和评估报告严重失实的,根据其情节轻重,由有关机构按照国家有关法律、法规的规定处罚。

第四十五条 违反本办法的规定,有下列行为之一的,按照《收费条例》第五十二条的规定查处:

(一)转让方未将转让政府还贷公路权益的收入和转让有财政性资金投入的经营性公路权益取得的收入中与财政性资金投入份额相应的收入部分全额缴入国库的;

(二)交通运输主管部门、财政主管部门将转让政府还贷公路权益的收入和转让有财政性资金投入的经营性公路权益取得的收入中与财政性资金投入份额相应的收入部分,未用于偿还贷款或者偿还有偿集资款及未用于公路建设,将转让收入挪作他用的。

第四十六条 违反本办法的规定,受让方未履行公路养护、绿化和公路用地范围内的水土保持义务,按照《收费条例》第五十四条和第五十五条的规定查处。

第四十七条 违反本办法的规定,审批机关及其工作人员有下列情形之一的,按照《中华人民共和国行政许可法》第七十二条和第七十四条的规定查处:

(一)不在本办法规定的期限内出具审批意见的;

(二)对不符合法定条件和程序的收费公路权益转让申请予以批准,或者超越法定职权予以审批的;

(三)在受理、审查过程中,未向转让方一次告知必须补正的全部内容的。

第四十八条 审批机关工作人员在办理收费公路权益转让审批过程中,索取或者收受他人财物或者谋取其他利益,按照《中华人民共和国行政许可法》第七十三条的规定查处。

第七章 附 则

第四十九条 本办法规定的时限以工作日计算,不含法定节假日。

第五十条 本办法自2008年10月1日起施行。交通部于1996年10月9日以交通部第9号令发布的《公路经营权有偿转让管理办法》同时废止。

高等学校档案管理办法

(2008 年 8 月 20 日教育部、国家档案局令第 27 号公布　自 2008 年 9 月 1 日起施行)

第一章　总　　则

第一条　为规范高等学校档案工作,提高档案管理水平,有效保护和利用档案,根据《中华人民共和国档案法》及其实施办法,制定本办法。

第二条　本办法所称的高等学校档案(以下简称高校档案),是指高等学校从事招生、教学、科研、管理等活动直接形成的对学生、学校和社会有保存价值的各种文字、图表、声像等不同形式、载体的历史记录。

第三条　高校档案工作是高等学校重要的基础性工作,学校应当加强管理,将之纳入学校整体发展规划。

第四条　国务院教育行政部门主管全国高校档案工作。省、自治区、直辖市人民政府教育行政部门主管本行政区域内高校档案工作。

国家档案行政部门和省、自治区、直辖市人民政府档案行政部门在职责范围内负责对高校档案工作的业务指导、监督和检查。

第五条　高校档案工作由高等学校校长领导,其主要职责是:

(一)贯彻执行国家关于档案管理的法律法规和方针政策,批准学校档案工作规章制度;

(二)将档案工作纳入学校整体发展规划,促进档案信息化建设与学校其他工作同步发展;

(三)建立健全与办学规模相适应的高校档案机构,落实人员编制、档案库房、发展档案事业所需设备以及经费;

(四)研究决定高校档案工作中的重要奖惩和其他重大问题。

分管档案工作的校领导协助校长负责档案工作。

第二章　机构设置与人员配备

第六条　高校档案机构包括档案馆和综合档案室。

具备下列条件之一的高等学校应当设立档案馆:

(一)建校历史在 50 年以上;

(二)全日制在校生规模在 1 万人以上;

(三)已集中保管的档案、资料在 3 万卷(长度 300 延长米)以上。

未设立档案馆的高等学校应当设立综合档案室。

　　第七条　高校档案机构是保存和提供利用学校档案的专门机构,应当具备符合要求的档案库房和管理设施。

　　需要特殊条件保管或者利用频繁且具有一定独立性的档案,可以根据实际需要设立分室单独保管。分室是高校档案机构的分支机构。

　　第八条　高校档案机构的管理职责是:

　　(一)贯彻执行国家有关档案工作的法律法规和方针政策,综合规划学校档案工作;

　　(二)拟订学校档案工作规章制度,并负责贯彻落实;

　　(三)负责接收(征集)、整理、鉴定、统计、保管学校的各类档案及有关资料;

　　(四)编制检索工具,编研、出版档案史料,开发档案信息资源;

　　(五)组织实施档案信息化建设和电子文件归档工作;

　　(六)开展档案的开放和利用工作;

　　(七)开展学校档案工作人员的业务培训;

　　(八)利用档案开展多种形式的宣传教育活动,充分发挥档案的文化教育功能;

　　(九)开展国内外档案学术研究和交流活动。

　　有条件的高校档案机构,可以申请创设爱国主义教育基地。

　　第九条　高校档案馆设馆长一名,根据需要可以设副馆长一至二名。综合档案室设主任一名,根据需要可以设副主任一至二名。

　　馆长、副馆长和综合档案室主任(馆长和综合档案室主任,以下简称为高校档案机构负责人),应当具备以下条件:

　　(一)热心档案事业,具有高级专业技术职务任职经历;

　　(二)有组织管理能力,具有开拓创新意识和精神;

　　(三)年富力强,身体健康。

　　第十条　高等学校应当为高校档案机构配备专职档案工作人员。

　　高校专职档案工作人员列入学校事业编制。其编制人数由学校根据本校档案机构的档案数量和工作任务确定。

　　第十一条　高校档案工作人员应当遵纪守法,爱岗敬业,忠于职守,具备档案业务知识和相应的科学文化知识以及现代化管理技能。

　　第十二条　高校档案机构中的专职档案工作人员,实行专业技术职务聘任制或者职员职级制,享受学校教学、科研和管理人员同等待遇。

　　第十三条　高等学校对长期接触有毒有害物质的档案工作人员,应当按照法律法规的有关规定采取有效的防护措施防止职业中毒事故的发生,保障其依法享有工伤社会保险待遇以及其他有关待遇,并可以按照有关规定予以补助。

第三章　档案管理

第十四条　高等学校应当建立、健全档案工作的检查、考核与评估制度,定期布置、检查、总结、验收档案工作,明确岗位职责,强化责任意识,提高学校档案管理水平。

第十五条　高等学校应当对纸质档案材料和电子档案材料同步归档。文件材料的归档范围是:

(一)党群类:主要包括高等学校党委、工会、团委、民主党派等组织的各种会议文件、会议记录及纪要;各党群部门的工作计划、总结;上级机关与学校关于党群管理的文件材料。

(二)行政类:主要包括高等学校行政工作的各种会议文件、会议纪录及纪要;上级机关与学校关于人事管理、行政管理的材料。

(三)学生类:主要包括高等学校培养的学历教育学生的高中档案、入学登记表、体检表、学籍档案、奖惩记录、党团组织档案、毕业生登记表等。

(四)教学类:主要包括反映教学管理、教学实践和教学研究等活动的文件材料。按原国家教委、国家档案局发布的《高等学校教学文件材料归档范围》((87)教办字016号)的相关规定执行。

(五)科研类:按原国家科委、国家档案局发布的《科学技术研究档案管理暂行规定》(国档发〔1987〕6号)执行。

(六)基本建设类:按国家档案局、原国家计委发布的《基本建设项目档案资料管理暂行规定》(国档发〔1988〕4号)执行。

(七)仪器设备类:主要包括各种国产和国外引进的精密、贵重、稀缺仪器设备(价值在10万元以上)的全套随机技术文件以及在接收、使用、维修和改进工作中产生的文件材料。

(八)产品生产类:主要包括高等学校在产学研过程中形成的文件材料、样品或者样品照片、录像等。

(九)出版物类:主要包括高等学校自行编辑出版的学报、其他学术刊物及本校出版社出版物的审稿单、原稿、样书及出版发行记录等。

(十)外事类:主要包括学校派遣有关人员出席国际会议、出国考察、讲学、合作研究、学习进修的材料;学校聘请的境外专家、教师在教学、科研等活动中形成的材料;学校开展校际交流、中外合作办学、境外办学及管理外国或者港澳台地区专家、教师、国际学生、港澳台学生等的材料;学校授予境外人士名誉职务、学位、称号等的材料。

(十一)财会类:按财政部、国家档案局发布的《会计档案管理办法》(财会字

〔1998〕32 号）执行。

高等学校可以根据学校实际情况确定归档范围。归档的档案材料包括纸质、电子、照（胶）片、录像（录音）带等各种载体形式。

第十六条 高等学校实行档案材料形成单位、课题组立卷的归档制度。

学校各部门负责档案工作的人员应当按照归档要求，组织本部门的教学、科研和管理等人员及时整理档案和立卷。立卷人应当按照纸质文件材料和电子文件材料的自然形成规律，对文件材料系统整理组卷，编制页号或者件号，制作卷内目录，交本部门负责档案工作的人员检查合格后向高校档案机构移交。

第十七条 归档的档案材料应当质地优良，书绘工整，声像清晰，符合有关规范和标准的要求。电子文件的归档要求按照国家档案局发布的《电子公文归档管理暂行办法》以及《电子文件归档与管理规范》（GB/T18894－2002）执行。

第十八条 高校档案材料归档时间为：

（一）学校各部门应当在次学年6月底前归档；

（二）各院系等应当在次学年寒假前归档；

（三）科研类档案应当在项目完成后两个月内归档，基建类档案应当在项目完成后三个月内归档。

第十九条 高校档案机构应当对档案进行整理、分类、鉴定和编号。

第二十条 高校档案机构应当按照国家档案局《机关文件材料归档范围和文书档案保管期限规定》，确定档案材料的保管期限。对保管期限已满、已失去保存价值的档案，经有关部门鉴定并登记造册报校长批准后，予以销毁。未经鉴定和批准，不得销毁任何档案。

第二十一条 高校档案机构应当采用先进的档案保护技术，防止档案的破损、褪色、霉变和散失。对已经破损或者字迹褪色的档案，应当及时修复或者复制。对重要档案和破损、褪色修复的档案应当及时数字化，加工成电子档案保管。

第二十二条 高校档案由高校档案机构保管。在国家需要时，高等学校应当提供所需的档案原件或者复制件。

第二十三条 高等学校与其他单位分工协作完成的项目，高校档案机构应当至少保存一整套档案。协作单位除保存与自己承担任务有关的档案正本以外，应当将复制件送交高校档案机构保存。

第二十四条 高等学校中的个人对其从事教学、科研、管理等职务活动所形成的各种载体形式的档案材料，应当按照规定及时归档，任何个人不得据为己有。

对于个人在其非职务活动中形成的重要档案材料，高校档案机构可以通过征集、代管等形式进行管理。

高校档案机构对于与学校有关的各种档案史料的征集，应当制定专门的制度和办法。

第二十五条　高校档案机构应当对所存档案和资料的保管情况定期检查,消除安全隐患,遇有特殊情况,应当立即向校长报告,及时处理。

档案库房的技术管理工作,应当建立、健全有关规章制度,由专人负责。

第二十六条　高校档案机构应当认真执行档案统计年报制度,并按照国家有关规定报送档案工作基本情况统计报表。

第四章　档案的利用与公布

第二十七条　高校档案机构应当按照国家有关规定公布档案。未经高等学校授权,其他任何组织或者个人无权公布学校档案。

属下列情况之一者,不对外公布:

(一)涉及国家秘密的;

(二)涉及专利或者技术秘密的;

(三)涉及个人隐私的;

(四)档案形成单位规定限制利用的。

第二十八条　凡持有合法证明的单位或者持有合法身份证明的个人,在表明利用档案的目的和范围并履行相关登记手续后,均可以利用已公布的档案。

境外组织或者个人利用档案的,按照国家有关规定办理。

第二十九条　查阅、摘录、复制未开放的档案,应当经档案机构负责人批准。涉及未公开的技术问题,应当经档案形成单位或者本人同意,必要时报请校长审批准。需要利用的档案涉及重大问题或者国家秘密,应当经学校保密工作部门批准。

第三十条　高校档案机构提供利用的重要、珍贵档案,一般不提供原件。如有特殊需要,应当经档案机构负责人批准。

加盖高校档案机构公章的档案复制件,与原件具有同等效力。

第三十一条　高校档案开放应当设立专门的阅览室,并编制必要的检索工具(著录标准按《档案著录规则》(DA/T18－1999)执行),提供开放档案目录、全宗指南、档案馆指南、计算机查询系统等,为社会利用档案创造便利条件。

第三十二条　高校档案机构是学校出具档案证明的唯一机构。

高校档案机构应当为社会利用档案创造便利条件,用于公益目的的,不得收取费用;用于个人或者商业目的的,可以按照有关规定合理收取费用。

社会组织和个人利用其所移交、捐赠的档案,高校档案机构应当无偿和优先提供。

第三十三条　寄存在高校档案机构的档案,归寄存者所有。高校档案机构如果需要向社会提供利用,应当征得寄存者同意。

第三十四条　高校档案机构应当积极开展档案的编研工作。出版档案史料和公布档案,应当经档案形成单位同意,并报请校长批准。

第三十五条　高校档案机构应当采取多种形式(如举办档案展览、陈列、建设档案网站等),积极开展档案宣传工作。有条件的高校,应当在相关专业的高年级开设有关档案管理的选修课。

第五章　条件保障

第三十六条　高等学校应当将高校档案工作所需经费列入学校预算,保证档案工作的需求。

第三十七条　高等学校应当为档案机构提供专用的、符合档案管理要求的档案库房,对不适应档案事业发展需要或者不符合档案保管要求的馆库,按照《档案馆建设标准》(建标103－2008)的要求及时进行改扩建或者新建。

存放涉密档案应当设有专门库房。

存放声像、电子等特殊载体档案,应当配置恒温、恒湿、防火、防渍、防有害生物等必要设施。

第三十八条　高等学校应当设立专项经费,为档案机构配置档案管理现代化、档案信息化所需的设备设施,加快数字档案馆(室)建设,保障档案信息化建设与学校数字化校园建设同步进行。

第六章　奖励与处罚

第三十九条　高等学校对在档案工作中做出下列贡献的单位或者个人,给予表彰与奖励:

(一)在档案的收集、整理、提供利用工作中做出显著成绩的;

(二)在档案的保护和现代化管理工作中做出显著成绩的;

(三)在档案学研究及档案史料研究工作中做出重要贡献的;

(四)将重要的或者珍贵的档案捐赠给高校档案机构的;

(五)同违反档案法律法规的行为作斗争,表现突出的。

第四十条　有下列行为之一的,高等学校应当对直接负责的主管人员和其他直接责任人员依法给予处分;构成犯罪的,由司法机关依法追究刑事责任。

(一)玩忽职守,造成档案损坏、丢失或者擅自销毁档案的;

(二)违反保密规定,擅自提供、抄录、公布档案的;

(三)涂改、伪造档案的;

(四)擅自出卖、赠送、交换档案的;

（五）不按规定归档，拒绝归档或者将档案据为已有的；

（六）其他违反档案法律法规的行为。

第七章 附　则

第四十一条 本办法适用于各类普通高等学校、成人高等学校。

第四十二条 高等学校可以根据本办法制订实施细则。

高等学校附属单位（包括附属医院、校办企业等）的档案管理，由学校根据实际情况自主确定。

第四十三条 本办法自 2008 年 9 月 1 日起施行。国家教育委员会 1989 年 10 月 10 日发布的《普通高等学校档案管理办法》（国家教育委员会令第 6 号）同时废止。

行政区域界线界桩管理办法

（2008 年 8 月 22 日民政部令第 36 号公布　自 2008 年 9 月 1 日起施行）

第一条 为了加强行政区域界线界桩的管理和保护，根据《行政区域界线管理条例》的规定，制定本办法。

第二条 行政区域界线界桩，是由行政区域毗邻的各方人民政府共同埋设的，用于指示行政区域界线实地位置的标志物。

第三条 县级以上各级人民政府民政部门根据职责分工分级负责各级行政区域界线界桩的管理工作。

行政区域毗邻的县级人民政府民政部门具体承担各级行政区域界线界桩（以下简称"界桩"）的管理和保护工作。

第四条 行政区域界线协议书或者有关各方人民政府达成的其他协议中未明确界桩管理责任方的，有关各方人民政府民政部门应当签订协议予以明确，经有关各方人民政府批准后实施，并报该行政区域界线批准机关的民政部门备案。

第五条 界桩管理的依据：

（一）毗邻双方人民政府签订的行政区域界线勘界协议书及其附图、界桩成果表；

（二）毗邻双方人民政府民政部门签订的行政区域界线、界桩管理协议或者签发的行政区域界线、界桩管理文件；

（三）毗邻各方人民政府或者民政部门签订的行政区域界线交会点协议书及其附件；

（四）行政区域界线联合检查工作报告；

（五）有关界桩变动的协议书或者文件；

（六）界桩登记表。

第六条 县级以上各级人民政府民政部门在界桩管理工作中，应当明确职责分工，按照规定程序移动或者增设界桩、及时修复或者恢复损坏的界桩、查处损坏界桩的行为，确保界桩位置准确、埋设牢固、明显易见、注记清晰、档案完备。

第七条 界桩埋设后，任何组织和个人不得擅自移动或者损坏。

因建设、开发项目确需移动界桩的，建设、开发单位应当提出申请，由行政区域界线毗邻的任何一方人民政府民政部门报经各有关人民政府协商一致。

界桩移动、埋设和测绘的费用由建设、开发单位承担。

第八条 需要增设界桩时，毗邻双方人民政府民政部门应当协商一致，确定增设界桩的数量和埋设位置，明确界桩管理责任方，共同提出方案报该行政区域界线批准机关的民政部门批准后实施。

第九条 对主体完整、边角轻微损坏的界桩应当修复；对基座松动但主体完整的界桩应当在原地加固扶正。

第十条 对丢失或者严重损坏、修复困难的界桩，应当重新制作，并根据下列情形在原地恢复埋设或者移位埋设：

（一）双立、多立界桩和位于行政区域界线上的单立界桩，按照界桩成果表和登记表的记载在原地予以恢复；无法在原地恢复的，由双方就近选定适当位置移位埋设。

（二）不在行政区域界线上的单立界桩，由双方就近在行政区域界线上选定适当位置埋设或者改设为双立界桩埋设。

（三）行政区域界线交会点单立界桩无法在原地恢复的，可以改设为双立或者多立界桩埋设。

（四）重新制作、埋设的界桩，其标注年份为重新埋设时的年份。

第十一条 移动、增设、修复或者恢复界桩，应当在毗邻行政区域各方人民政府民政部门人员在场的情况下，由负责管理该界桩的一方组织实施。

第十二条 移动、增设或者恢复界桩，应当按照勘界测绘技术规定的有关要求，制作、埋设界桩，测定界桩坐标，填写界桩成果表和登记表，拍摄界桩照片。

第十三条 负责界桩管理工作的地方各级人民政府民政部门应当建立本级界桩日常管理档案，每年向毗邻行政区域人民政府民政部门通报界桩管理情况。

移动、增设或者恢复界桩后，由负责管理的一方将有关界桩变动的文件、资料整理归档，并送毗邻各方保存一套，同时报该行政区域界线批准机关及其民政部门备案。

第十四条　负责管理界桩的县级人民政府民政部门可以聘请当地居民为界桩维护员。

第十五条　界桩维护员应当适时检查所维护的界桩,清除界桩周围杂草、淤泥和遮挡物,刷新界桩注记,保持界桩整洁,明显易见,做好检查记录,制止损坏界桩的行为。

界桩维护员发现界桩松动、移动、丢失、损坏时,应当及时报告负责管理该界桩的县级人民政府民政部门。

第十六条　界桩管理经费由界桩管理责任方按照国家有关规定从同级行政区域界线管理经费中列支。

第十七条　故意损毁或者擅自移动、增设、修复、恢复界桩以及指使他人故意损毁或者擅自移动、增设、修复、恢复界桩的,按照《行政区域界线管理条例》第十六条、第十七条的规定处罚。

因过失造成界桩损坏的,过失人应当及时报告界桩所在地任何一方县级人民政府民政部门。

第十八条　乡、民族乡、镇的行政区域界线界桩的管理和维护参照本办法执行。

第十九条　行政区域界线依法变更后,原行政区域界线上的界桩即行废止,由有关各方人民政府民政部门共同组织销毁。在变更后的行政区域界线上设立新界桩,应当按照勘界的有关规定进行。

第二十条　本办法自 2008 年 9 月 1 日起施行。

专利代理人资格考试实施办法

(2008 年 8 月 25 日国家知识产权局令第 47 号公布　自 2008 年 10 月 1 日起施行)

第一条　为了规范专利代理人资格考试工作,根据《中华人民共和国专利法》和《专利代理条例》,制定本办法。

第二条　专利代理人资格考试实行全国统一考试制度,每年举行一次考试。

第三条　专利代理人资格考试包括以下考试科目:

(一)专利法律知识;

(二)相关法律知识;

(三)专利代理实务。

专利代理人资格考试采取闭卷笔答方式。

第四条　国家知识产权局组织成立专利代理人考核委员会。考核委员会负责审定《专利代理人资格考试大纲》和确定专利代理人资格考试合格分数线,其成员由国家知识产权局、国务院有关部门、中华全国专利代理人协会的有关人员以及专利代理人的代表组成,主任由国家知识产权局局长担任。

专利代理人考核委员会办公室设在国家知识产权局,负责专利代理人资格考试的各项具体工作。

第五条　国家知识产权局每年应当在举行专利代理人资格考试六个月前以公告的形式公布考点城市、考试时间及证书发放等事项。

专利代理人资格考试由国家知识产权局统一命题,命题范围以《专利代理人资格考试大纲》为准。

第六条　各考点城市所在的省、自治区、直辖市知识产权局承办受理报名、审查报名人员资格、设置考场、组织考试、发放考试成绩单等项工作。

第七条　报名参加专利代理人资格考试的人员,应当符合《专利代理条例》第十五条规定的条件。

有下列情形之一的人员,不得参加专利代理人资格考试:

(一)因故意犯罪受过刑事处罚的;

(二)被吊销专利代理人资格的;

(三)属于本办法第十二条规定的被处以三年内不得报名参加专利代理人资格考试,且未满三年的。

第八条　举办专利代理人资格考试培训班的,不得强制要求考试报名人员参加培训,不得强制要求参加培训的人员购买其指定的教材或者其他考试资料。

第九条　参与专利代理人资格考试命题和组织管理工作的人员不得泄漏考试试题及其他相关信息,并且不得参加考试。

命题人员不得从事与专利代理人资格考试有关的授课、答疑、辅导等活动。

第十条　国家知识产权局负责专利代理人资格考试的全国统一阅卷工作,并公布考试成绩。

第十一条　应试人员达到专利代理人资格考试合格分数线的,由国家知识产权局颁发《专利代理人资格证书》。

第十二条　应试人员有违纪行为的,视情节、后果给予警告、确认考试成绩无效、三年内不得报名参加专利代理人资格考试的处理;考试工作人员有违纪行为的,视情节、后果给予相应的处理,情节严重构成犯罪的,依法追究法律责任。

对应试人员和考试工作人员违纪行为的具体处理办法由国家知识产权局另行规定。

第十三条　专利代理人资格考试考务规则由国家知识产权局另行规定。

第十四条 本办法自 2008 年 10 月 1 日起施行,国家知识产权局令第三十六号发布的《专利代理人资格考试实施办法》同日废止。

专利代理人资格考试考务规则

(2008 年 8 月 25 日国家知识产权局令第 48 号公布 自 2008 年 10 月 1 日起施行)

第一节 考 试 报 名

第一条 报名参加全国专利代理人资格考试的人员,应当选择适合其参加考试的考点之一,以现场报名、信函报名或者网上报名等方式,在规定的时间内向考点城市所在的省、自治区、直辖市知识产权局(以下简称考点知识产权局)报名。

第二条 报名人员应当提交下列材料,并缴纳相关费用:

(一)报名表及照片;

(二)有效身份证件复印件;

(三)学历证书复印件;

(四)工作证明原件。

现场报名的,应当在报名时出示有效身份证件和学历证书原件接受查验;信函报名或者网上报名的,应当在规定的时间内持有效身份证件和学历证书原件到其所选考点知识产权局接受查验。

报名人员可以从国家知识产权局政府网站下载报名表。

第三条 各考点知识产权局应当及时将报名人员的报名表原件及有关信息数据上报专利代理人考核委员会办公室(以下简称考核委员会办公室)。

第四条 准考证由考核委员会办公室统一编号制作。

各考点知识产权局应当对符合相关规定的报名人员发给准考证,并将本规则中要求应试人员了解的事项通知该报名人员。

第二节 考场设置与考场人员配备

第五条 各考点知识产权局应当按照集中、便利的原则设置考场。

设置考场应当符合下列要求:

(一)每个考场的应试人员人数为 30 名,余数不足 30 名的单设一个考场;

(二)每位应试人员一个桌位,应试人员横向之间应当有一个桌位以上的间隔;

（三）每个桌位的右上角应当粘贴应试人员姓名及准考证号码；

（四）考场周围环境应当安全、安静，不得使用阶梯教室作为考场。

第六条　各考点应当设总监考人一名，由考点知识产权局局长或者副局长担任，总体负责该考点的监考工作；每个考场应当设男女监考人员各一名，负责该考场的具体监考工作。

总监考人应当至迟于考试前一天召集由全体监考人员和巡考人员参加的监考职责说明会。

第七条　各考点知识产权局应当根据需要安排、配备保卫和医务人员，协助维护考试秩序，提供医疗救助服务。

第八条　各考点知识产权局应当在考场附近设置考务办公室，作为处理有关事务的场所。

第三节　试卷运送和保管

第九条　考试试卷和答题卡由考核委员会办公室委托有关部门运送至各考点，具体事宜和保密义务由双方约定。

第十条　各考点知识产权局应当配备专门的保密室及保险柜，用于存放考试试卷和答题卡，并配备封条及运送试卷的专用车辆。

保密室应当具有防水、防火、防盗等安全措施，并实施二十四小时监控。存放了试卷和答题卡的保险柜应当加贴封条。

存放试卷的保密室距离考场较远，需要将试卷或者答题卡临时存放在考务办公室的，应当在考务办公室配备保险柜并加强相关保卫工作。

第十一条　各考点知识产权局应当指定两名或者两名以上试卷保管人员专门负责试卷保管工作。

保密室和保险柜钥匙应当由不同的试卷保管人员分别保管。

第十二条　从保险柜存取试卷、答题卡，应当由两名或者两名以上试卷保管人员操作，巡考人员应当在场。

存取试卷、答题卡应当由试卷保管人员详细填写考核委员会办公室统一制作的试卷、答题卡存取记录单并签字，由巡考人员予以签字确认。

第十三条　启用前的试卷和答题卡、密封后的有效答题卡，任何人不得以任何理由擅自拆封。

第十四条　试卷运送、保管过程中发生泄密或者其他意外事故的，应当立即采取有效措施防止扩散，并及时报告考核委员会办公室处理。

第四节　考场规则

第十五条　每科考试开始前20分钟,应试人员应当凭准考证和有效身份证件进入考场,按准考证号码对号入座,并将准考证和有效身份证件放在考桌右上角,以便监考人员查验。

第十六条　应试人员迟到30分钟以上的,不得进入考场。考试开始30分钟后,应试人员方可交卷出场。

第十七条　应试人员不得携带下列物品进入考场:

(一)任何书籍、期刊、笔记以及带有文字的纸张;

(二)任何具有通讯、存储、录放等功能的电子产品。

应试人员携带前款所述物品的,应当在各科考试开始前交由监考人员代为保管。

第十八条　应试人员应当用笔正确,在规定时间内按照要求在答题卡上填写姓名和填写、填涂准考证号码,必要时粘贴条形码;答题时应当填涂到位、字迹清晰。

因应试人员未按规定填写姓名、填涂准考证号码或者未粘贴条形码导致身份无法确认的,其试卷无效;因应试人员损坏答题卡、填涂不到位或者书写字迹不清等原因导致试卷无法评阅或者影响考试成绩,责任由应试人员自行承担。

第十九条　应试人员发现试卷印制有误或者不清晰的,可以向监考人员反映,但不得要求监考人员解释试题。

第二十条　应试人员应当严格遵守考场规则,保持考场肃静,不得相互交谈、随意站立或者随意走动,不得查看或者窥视他人答题卡,不得传递答题卡或者与考试内容相关的任何信息,不得在考场内吸烟。

第二十一条　应试人员提前答完试卷的,可以在座位上举手示意,待监考人员收卷后离开考场。

考试结束时间一到,应试人员应当立刻停止答卷,并将答题卡翻放在桌面上,离开考场。

应试人员不得将试卷或者答题卡带出考场,交卷后不得在考场及附近逗留喧哗。

第五节　监　考

第二十二条　监考人员应当在总监考人的指挥下,明确岗位,按照分工完成下列工作:

（一）每科考试开始前25分钟，各考场两名监考人员一同到保密室或者考务办公室领取试卷和答题卡。

（二）考试开始前10分钟宣布考场规则，当众启封答题卡封装袋并向应试人员分发，要求应试人员及时在答题卡上填写姓名和填写、填涂准考证号码或者粘贴条形码。

（三）每科考试开始前3分钟，当众启封试卷封装袋，核对无误后向应试人员分发试卷。

（四）逐个核对应试人员与其持有的身份证件、准考证上的照片是否相符；核对应试人员准考证号码与座位上粘贴的号码是否一致；检查应试人员在答题卡上填写的姓名、填涂的准考证号码或者粘贴的条形码是否与其姓名、准考证号码一致。

（五）在考试期间维持考场秩序，保证考试的正常进行。

（六）考试结束前15分钟向应试人员发出时间提示。考试结束时间一到，要求应试人员立刻停止答卷并将答题卡翻放在考桌上离开考场。

（七）如实填写考场记录单，写明考场秩序状况、缺考人员准考证号、应试人员的违纪行为以及处理经过等详细情况。考场记录单应当填写一式两份，一份与所在考场的有效答题卡一同放入答题卡封装袋中封装，另一份交由巡考人员带回交给考核委员会办公室。

（八）每科考试结束后，按照所在考场的应试人员人数清点答题卡，将清点后的答题卡按考号顺序排序并封装。封装时应当在答题卡封装袋开口处加贴密封签、加盖骑缝章，并在答题卡封装袋正面写明考点城市、考场编号、有效答题卡数量，签名后交由试卷保管人员存入保险柜。

（九）每科考试结束后，清理考场并对考场进行封闭，考场钥匙由监考人员专管。

第二十三条 监考人员进入考场应当佩戴统一制发的监考标志。

第二十四条 监考人员发现应试人员临场生病的，应当联系考点配备的医务人员进行必要的治疗；对不能坚持考试的，应当说服其终止考试。

第二十五条 监考人员应当恪尽职守，对试题内容不得作任何解释或暗示；不得在考场内吸烟、阅读书报、闲谈、接打电话或者做其他与监考无关的事情。

第六节 巡 考

第二十六条 国家知识产权局向各考点委派巡考人员。巡考人员应当参加考点知识产权局在考试前召开的监考职责说明会。

第二十七条 巡考人员应当在试卷到达之前检查各考点试卷存放处是否符合本规则第十条的规定、查看考场设置和监考人员配备是否符合本规则第二节的规定;发现不符合规定的,应当及时向考点知识产权局指出,共同研究补救措施,必要时向考核委员会办公室汇报。

第二十八条　巡考人员应当全程参加试卷和答题卡的接收、存取、运送、分发、销毁等项工作;发现问题的,应当及时向考点知识产权局指出,共同研究补救措施,必要时向考核委员会办公室汇报。

第二十九条　在考试过程中,巡考人员应当对各个考场进行巡视,查看各考场秩序是否正常。

第三十条　在全部科目的考试结束之后,巡考人员应当及时安全运送有效答题卡返回,交至考核委员会办公室指定的保密室。

第七节　阅　　卷

第三十一条　全国专利代理人资格考试统一阅卷的组织协调工作由考核委员会办公室承担。

第三十二条　专利法律知识与相关法律知识科目采取机读阅卷方式;专利代理实务科目采取无纸化人工阅卷方式。

第三十三条　考核委员会办公室在考试结束后公布专利法律知识和相关法律知识科目的试题及其参考答案;公众可以自公布之日起一周内对参考答案提出意见。

第三十四条　考核委员会办公室拆封答题卡封装袋、机读阅卷、扫描答题卡时,应当由两名以上工作人员在指定地点共同完成。

第三十五条　国家知识产权局相关部门参加专利代理实务科目的评阅工作,由相关专家组成阅卷领导小组制定专利代理实务科目评分标准,阅卷人员应当根据评分标准认真阅卷。

第三十六条　阅卷人员应当严格遵守纪律,不得将答题卡带出阅卷地点,不得损坏或者丢失答题卡,不得外传与阅卷有关的信息。发现答题卡有异常情况的,应当及时报告考核委员会办公室,不得擅自处理。

第三十七条　考试成绩公布前,任何人不得擅自泄露分数情况。

第八节　成绩公布与复查

第三十八条　阅卷工作结束后,考核委员会办公室以公告形式说明成绩公布日期、成绩单获取途径和成绩查询方式等事项。

第三十九条　应试人员认为其考试成绩有明显异常的,可以自考试成绩公布之日起十五日内向考核委员会办公室提出书面复查申请;逾期提出的复查申请不予受理。

考试成绩复查仅限于重新核对答题卡各题得分之和相加是否有误。应试人员不得亲自查阅其答题卡。

第四十条 考核委员会办公室应当指定两名以上工作人员共同完成复查工作。

复查结果由考核委员会办公室书面通知提出复查请求的应试人员。

第四十一条 复查发现分数确有错误需要予以更正的，经考核委员会办公室负责人审核同意并签名，报考核委员会主任批准后，方可更正分数。

更正分数的答题卡及相应复查文件一并留存两年，用以备查。

第四十二条 除本规则第四十一条所述情形外，考试成绩公布半年后，经考核委员会办公室负责人批准，可以将答题卡销毁。

第九节 附 则

第四十三条 本规则自 2008 年 10 月 1 日起施行，国家知识产权局公告第九十九号发布的《专利代理人资格考试考务规则》同日废止。

关于修改《上市公司收购管理办法》 第六十三条的决定

（2008 年 8 月 27 日中国证券监督管理委员会令第 56 号公布　自公布之日起施行）

一、第六十三条第二款修改为"根据前款第（一）项和第（三）项至第（七）项规定提出豁免申请的，中国证监会自收到符合规定的申请文件之日起 10 个工作日内未提出异议的，相关投资者可以向证券交易所和证券登记结算机构申请办理股份转让和过户登记手续；根据前款第（二）项规定，相关投资者在增持行为完成后 3 日内应当就股份增持情况做出公告，并向中国证监会提出豁免申请，中国证监会自收到符合规定的申请文件之日起 10 个工作日内做出是否予以豁免的决定。中国证监会不同意其以简易程序申请的，相关投资者应当按照本办法第六十二条的规定提出申请。"

二、本决定自公布之日起施行。

《上市公司收购管理办法》根据本决定作相应的修改，重新公布。

上市公司收购管理办法

（2006 年 7 月 31 日中国证券监督管理委员会令第 35 号公布　根据 2008 年 8 月 27 日中国证券监督管理委员会《关于修改〈上市公司收购管理办法〉第六十三条的决定》修订）

第一章　总　　则

第一条　为了规范上市公司的收购及相关股份权益变动活动，保护上市公司和投资者的合法权益，维护证券市场秩序和社会公共利益，促进证券市场资源的优化配置，根据《证券法》、《公司法》及其他相关法律、行政法规，制定本办法。

第二条　上市公司的收购及相关股份权益变动活动，必须遵守法律、行政法规及中国证券监督管理委员会（以下简称中国证监会）的规定。当事人应当诚实守信，遵守社会公德、商业道德，自觉维护证券市场秩序，接受政府、社会公众的监督。

第三条　上市公司的收购及相关股份权益变动活动，必须遵循公开、公平、公正的原则。

上市公司的收购及相关股份权益变动活动中的信息披露义务人，应当充分披露其在上市公司中的权益及变动情况，依法严格履行报告、公告和其他法定义务。在相关信息披露前，负有保密义务。

信息披露义务人报告、公告的信息必须真实、准确、完整，不得有虚假记载、误导性陈述或者重大遗漏。

第四条　上市公司的收购及相关股份权益变动活动不得危害国家安全和社会公共利益。

上市公司的收购及相关股份权益变动活动涉及国家产业政策、行业准入、国有股份转让等事项，需要取得国家相关部门批准的，应当在取得批准后进行。

外国投资者进行上市公司的收购及相关股份权益变动活动的，应当取得国家相关部门的批准，适用中国法律，服从中国的司法、仲裁管辖。

第五条　收购人可以通过取得股份的方式成为一个上市公司的控股股东，可以通过投资关系、协议、其他安排的途径成为一个上市公司的实际控制人，也可以同时采取上述方式和途径取得上市公司控制权。

收购人包括投资者及与其一致行动的他人。

第六条　任何人不得利用上市公司的收购损害被收购公司及其股东的合法权益。

有下列情形之一的，不得收购上市公司：

（一）收购人负有数额较大债务，到期未清偿，且处于持续状态；

（二）收购人最近3年有重大违法行为或者涉嫌有重大违法行为；

（三）收购人最近3年有严重的证券市场失信行为；

（四）收购人为自然人的，存在《公司法》第一百四十七条规定情形；

（五）法律、行政法规规定以及中国证监会认定的不得收购上市公司的其他情形。

第七条 被收购公司的控股股东或者实际控制人不得滥用股东权利损害被收购公司或者其他股东的合法权益。

被收购公司的控股股东、实际控制人及其关联方有损害被收购公司及其他股东合法权益的，上述控股股东、实际控制人在转让被收购公司控制权之前，应当主动消除损害；未能消除损害的，应当就其出让相关股份所得收入用于消除全部损害做出安排，对不足以消除损害的部分应当提供充分有效的履约担保或安排，并依照公司章程取得被收购公司股东大会的批准。

第八条 被收购公司的董事、监事、高级管理人员对公司负有忠实义务和勤勉义务，应当公平对待收购本公司的所有收购人。

被收购公司董事会针对收购所做出的决策及采取的措施，应当有利于维护公司及其股东的利益，不得滥用职权对收购设置不适当的障碍，不得利用公司资源向收购人提供任何形式的财务资助，不得损害公司及其股东的合法权益。

第九条 收购人进行上市公司的收购，应当聘请在中国注册的具有从事财务顾问业务资格的专业机构担任财务顾问。收购人未按照本办法规定聘请财务顾问的，不得收购上市公司。

财务顾问应当勤勉尽责，遵守行业规范和职业道德，保持独立性，保证其所制作、出具文件的真实性、准确性和完整性。

财务顾问认为收购人利用上市公司的收购损害被收购公司及其股东合法权益的，应当拒绝为收购人提供财务顾问服务。

第十条 中国证监会依法对上市公司的收购及相关股份权益变动活动进行监督管理。

中国证监会设立由专业人员和有关专家组成的专门委员会。专门委员会可以根据中国证监会职能部门的请求，就是否构成上市公司的收购、是否有不得收购上市公司的情形以及其他相关事宜提供咨询意见。中国证监会依法做出决定。

第十一条 证券交易所依法制定业务规则，为上市公司的收购及相关股份权益变动活动组织交易和提供服务，对相关证券交易活动进行实时监控，监督上市公司的收购及相关股份权益变动活动的信息披露义务人切实履行信息披露义务。

证券登记结算机构依法制定业务规则，为上市公司的收购及相关股份权益变动活动所涉及的证券登记、存管、结算等事宜提供服务。

第二章 权益披露

第十二条 投资者在一个上市公司中拥有的权益,包括登记在其名下的股份和虽未登记在其名下但该投资者可以实际支配表决权的股份。投资者及其一致行动人在一个上市公司中拥有的权益应当合并计算。

第十三条 通过证券交易所的证券交易,投资者及其一致行动人拥有权益的股份达到一个上市公司已发行股份的5%时,应当在该事实发生之日起3日内编制权益变动报告书,向中国证监会、证券交易所提交书面报告,抄报该上市公司所在地的中国证监会派出机构(以下简称派出机构),通知该上市公司,并予公告;在上述期限内,不得再行买卖该上市公司的股票。

前述投资者及其一致行动人拥有权益的股份达到一个上市公司已发行股份的5%后,通过证券交易所的证券交易,其拥有权益的股份占该上市公司已发行股份的比例每增加或者减少5%,应当依照前款规定进行报告和公告。在报告期限内和作出报告、公告后2日内,不得再行买卖该上市公司的股票。

第十四条 通过协议转让方式,投资者及其一致行动人在一个上市公司中拥有权益的股份拟达到或者超过一个上市公司已发行股份的5%时,应当在该事实发生之日起3日内编制权益变动报告书,向中国证监会、证券交易所提交书面报告,抄报派出机构,通知该上市公司,并予公告。

投资者及其一致行动人拥有权益的股份达到一个上市公司已发行股份的5%后,其拥有权益的股份占该上市公司已发行股份的比例每增加或者减少达到或者超过5%的,应当依照前款规定履行报告、公告义务。

前两款规定的投资者及其一致行动人在作出报告、公告前,不得再行买卖该上市公司的股票。相关股份转让及过户登记手续按照本办法第四章及证券交易所、证券登记结算机构的规定办理。

第十五条 投资者及其一致行动人通过行政划转或者变更、执行法院裁定、继承、赠与等方式拥有权益的股份变动达到前条规定比例的,应当按照前条规定履行报告、公告义务,并参照前条规定办理股份过户登记手续。

第十六条 投资者及其一致行动人不是上市公司的第一大股东或者实际控制人,其拥有权益的股份达到或者超过该公司已发行股份的5%,但未达到20%的,应当编制包括下列内容的简式权益变动报告书:

(一)投资者及其一致行动人的姓名、住所;投资者及其一致行动人为法人的,其名称、注册地及法定代表人;

(二)持股目的,是否有意在未来12个月内继续增加其在上市公司中拥有的权益;

172

（三）上市公司的名称、股票的种类、数量、比例；

（四）在上市公司中拥有权益的股份达到或者超过上市公司已发行股份的5%或者拥有权益的股份增减变化达到5%的时间及方式；

（五）权益变动事实发生之日前6个月内通过证券交易所的证券交易买卖该公司股票的简要情况；

（六）中国证监会、证券交易所要求披露的其他内容。

前述投资者及其一致行动人为上市公司第一大股东或者实际控制人，其拥有权益的股份达到或者超过一个上市公司已发行股份的5%，但未达到20%的，还应当披露本办法第十七条第一款规定的内容。

第十七条　投资者及其一致行动人拥有权益的股份达到或者超过一个上市公司已发行股份的20%但未超过30%的，应当编制详式权益变动报告书，除须披露前条规定的信息外，还应当披露以下内容：

（一）投资者及其一致行动人的控股股东、实际控制人及其股权控制关系结构图；

（二）取得相关股份的价格、所需资金额、资金来源，或者其他支付安排；

（三）投资者、一致行动人及其控股股东、实际控制人所从事的业务与上市公司的业务是否存在同业竞争或者潜在的同业竞争，是否存在持续关联交易；存在同业竞争或者持续关联交易的，是否已做出相应的安排，确保投资者、一致行动人及其关联方与上市公司之间避免同业竞争以及保持上市公司的独立性；

（四）未来12个月内对上市公司资产、业务、人员、组织结构、公司章程等进行调整的后续计划；

（五）前24个月内投资者及其一致行动人与上市公司之间的重大交易；

（六）不存在本办法第六条规定的情形；

（七）能够按照本办法第五十条的规定提供相关文件。

前述投资者及其一致行动人为上市公司第一大股东或者实际控制人的，还应当聘请财务顾问对上述权益变动报告书所披露的内容出具核查意见，但国有股行政划转或者变更、股份转让在同一实际控制人控制的不同主体之间进行、因继承取得股份的除外。投资者及其一致行动人承诺至少3年放弃行使相关股份表决权的，可免于聘请财务顾问和提供前款第（七）项规定的文件。

第十八条　已披露权益变动报告书的投资者及其一致行动人在披露之日起6个月内，因拥有权益的股份变动需要再次报告、公告权益变动报告书的，可以仅就与前次报告书不同的部分作出报告、公告；自前次披露之日起超过6个月的，投资者及其一致行动人应当按照本章的规定编制权益变动报告书，履行报告、公告义务。

第十九条　因上市公司减少股本导致投资者及其一致行动人拥有权益的股份

变动出现本办法第十四条规定情形的,投资者及其一致行动人免于履行报告和公告义务。上市公司应当自完成减少股本的变更登记之日起2个工作日内,就因此导致的公司股东拥有权益的股份变动情况作出公告;因公司减少股本可能导致投资者及其一致行动人成为公司第一大股东或者实际控制人的,该投资者及其一致行动人应当自公司董事会公告有关减少公司股本决议之日起3个工作日内,按照本办法第十七条第一款的规定履行报告、公告义务。

第二十条 上市公司的收购及相关股份权益变动活动中的信息披露义务人依法披露前,相关信息已在媒体上传播或者公司股票交易出现异常的,上市公司应当立即向当事人进行查询,当事人应当及时予以书面答复,上市公司应当及时作出公告。

第二十一条 上市公司的收购及相关股份权益变动活动中的信息披露义务人应当在至少一家中国证监会指定媒体上依法披露信息;在其他媒体上进行披露的,披露内容应当一致,披露时间不得早于指定媒体的披露时间。

第二十二条 上市公司的收购及相关股份权益变动活动中的信息披露义务人采取一致行动的,可以以书面形式约定由其中一人作为指定代表负责统一编制信息披露文件,并同意授权指定代表在信息披露文件上签字、盖章。

各信息披露义务人应当对信息披露文件中涉及其自身的信息承担责任;对信息披露文件中涉及的与多个信息披露义务人相关的信息,各信息披露义务人对相关部分承担连带责任。

第三章 要约收购

第二十三条 投资者自愿选择以要约方式收购上市公司股份的,可以向被收购公司所有股东发出收购其所持有的全部股份的要约(以下简称全面要约),也可以向被收购公司所有股东发出收购其所持有的部分股份的要约(以下简称部分要约)。

第二十四条 通过证券交易所的证券交易,收购人持有一个上市公司的股份达到该公司已发行股份的30%时,继续增持股份的,应当采取要约方式进行,发出全面要约或者部分要约。

第二十五条 收购人依照本办法第二十三条、第二十四条、第四十七条、第五十六条的规定,以要约方式收购一个上市公司股份的,其预定收购的股份比例均不得低于该上市公司已发行股份的5%。

第二十六条 以要约方式进行上市公司收购的,收购人应当公平对待被收购公司的所有股东。持有同一种类股份的股东应当得到同等对待。

第二十七条 收购人为终止上市公司的上市地位而发出全面要约的,或者向中国证监会提出申请但未取得豁免而发出全面要约的,应当以现金支付收购价款;以依法可以转让的证券(以下简称证券)支付收购价款的,应当同时提供现金方式供被收购公司股东选择。

第二十八条　以要约方式收购上市公司股份的,收购人应当编制要约收购报告书,并应当聘请财务顾问向中国证监会、证券交易所提交书面报告,抄报派出机构,通知被收购公司,同时对要约收购报告书摘要作出提示性公告。

收购人依照前款规定报送符合中国证监会规定的要约收购报告书及本办法第五十条规定的相关文件之日起 15 日后,公告其要约收购报告书、财务顾问专业意见和律师出具的法律意见书。在 15 日内,中国证监会对要约收购报告书披露的内容表示无异议的,收购人可以进行公告;中国证监会发现要约收购报告书不符合法律、行政法规及相关规定的,及时告知收购人,收购人不得公告其收购要约。

第二十九条　前条规定的要约收购报告书,应当载明下列事项:

(一)收购人的姓名、住所;收购人为法人的,其名称、注册地及法定代表人,与其控股股东、实际控制人之间的股权控制关系结构图;

(二)收购人关于收购的决定及收购目的,是否拟在未来 12 个月内继续增持;

(三)上市公司的名称、收购股份的种类;

(四)预定收购股份的数量和比例;

(五)收购价格;

(六)收购所需资金额、资金来源及资金保证,或者其他支付安排;

(七)收购要约约定的条件;

(八)收购期限;

(九)报送收购报告书时持有被收购公司的股份数量、比例;

(十)本次收购对上市公司的影响分析,包括收购人及其关联方所从事的业务与上市公司的业务是否存在同业竞争或者潜在的同业竞争,是否存在持续关联交易;存在同业竞争或者持续关联交易的,收购人是否已作出相应的安排,确保收购人及其关联方与上市公司之间避免同业竞争以及保持上市公司的独立性;

(十一)未来 12 个月内对上市公司资产、业务、人员、组织结构、公司章程等进行调整的后续计划;

(十二)前 24 个月内收购人及其关联方与上市公司之间的重大交易;

(十三)前 6 个月内通过证券交易所的证券交易买卖被收购公司股票的情况;

(十四)中国证监会要求披露的其他内容。

收购人发出全面要约的,应当在要约收购报告书中充分披露终止上市的风险、终止上市后收购行为完成的时间及仍持有上市公司股份的剩余股东出售其股票的其他后续安排;收购人发出以终止公司上市地位为目的的全面要约,无须披露前款第(十)项规定的内容。

第三十条　收购人按照本办法第四十七条拟收购上市公司股份超过30%，须改以要约方式进行收购的，收购人应当在达成收购协议或者做出类似安排后的3日内对要约收购报告书摘要作出提示性公告，并按照本办法第二十八条、第二十九条的规定履行报告和公告义务，同时免于编制、报告和公告上市公司收购报告书；依法应当取得批准的，应当在公告中特别提示本次要约须取得相关批准方可进行。

未取得批准的，收购人应当在收到通知之日起2个工作日内，向中国证监会提交取消收购计划的报告，同时抄报派出机构，抄送证券交易所，通知被收购公司，并予公告。

第三十一条　收购人向中国证监会报送要约收购报告书后，在公告要约收购报告书之前，拟自行取消收购计划的，应当向中国证监会提出取消收购计划的申请及原因说明，并予公告；自公告之日起12个月内，该收购人不得再次对同一上市公司进行收购。

第三十二条　被收购公司董事会应当对收购人的主体资格、资信情况及收购意图进行调查，对要约条件进行分析，对股东是否接受要约提出建议，并聘请独立财务顾问提出专业意见。在收购人公告要约收购报告书后20日内，被收购公司董事会应当将被收购公司董事会报告书与独立财务顾问的专业意见报送中国证监会，同时抄报派出机构，抄送证券交易所，并予公告。

收购人对收购要约条件做出重大变更的，被收购公司董事会应当在3个工作日内提交董事会及独立财务顾问就要约条件的变更情况所出具的补充意见，并予以报告、公告。

第三十三条　收购人作出提示性公告后至要约收购完成前，被收购公司除继续从事正常的经营活动或者执行股东大会已经作出的决议外，未经股东大会批准，被收购公司董事会不得通过处置公司资产、对外投资、调整公司主要业务、担保、贷款等方式，对公司的资产、负债、权益或者经营成果造成重大影响。

第三十四条　在要约收购期间，被收购公司董事不得辞职。

第三十五条　收购人按照本办法规定进行要约收购的，对同一种类股票的要约价格，不得低于要约收购提示性公告日前6个月内收购人取得该种股票所支付的最高价格。

要约价格低于提示性公告日前30个交易日该种股票的每日加权平均价格的算术平均值的，收购人聘请的财务顾问应当就该种股票前6个月的交易情况进行分析，说明是否存在股价被操纵、收购人是否有未披露的一致行动人、收购人前6个月取得公司股份是否存在其他支付安排、要约价格的合理性等。

第三十六条　收购人可以采用现金、证券、现金与证券相结合等合法方式支付收购上市公司的价款。收购人聘请的财务顾问应当说明收购人具备要约收购的能力。

以现金支付收购价款的,应当在作出要约收购提示性公告的同时,将不少于收购价款总额的 20% 作为履约保证金存入证券登记结算机构指定的银行。

收购人以证券支付收购价款的,应当提供该证券的发行人最近 3 年经审计的财务会计报告、证券估值报告,并配合被收购公司聘请的独立财务顾问的尽职调查工作。

收购人以在证券交易所上市交易的证券支付收购价款的,应当在作出要约收购提示性公告的同时,将用于支付的全部证券交由证券登记结算机构保管,但上市公司发行新股的除外;收购人以在证券交易所上市的债券支付收购价款的,该债券的可上市交易时间应当不少于一个月;收购人以未在证券交易所上市交易的证券支付收购价款的,必须同时提供现金方式供被收购公司的股东选择,并详细披露相关证券的保管、送达被收购公司股东的方式和程序安排。

第三十七条 收购要约约定的收购期限不得少于 30 日,并不得超过 60 日;但是出现竞争要约的除外。

在收购要约约定的承诺期限内,收购人不得撤销其收购要约。

第三十八条 采取要约收购方式的,收购人作出公告后至收购期限届满前,不得卖出被收购公司的股票,也不得采取要约规定以外的形式和超出要约的条件买入被收购公司的股票。

第三十九条 收购要约提出的各项收购条件,适用于被收购公司的所有股东。

收购人需要变更收购要约的,必须事先向中国证监会提出书面报告,同时抄报派出机构,抄送证券交易所和证券登记结算机构,通知被收购公司;经中国证监会批准后,予以公告。

第四十条 收购要约期限届满前 15 日内,收购人不得变更收购要约;但是出现竞争要约的除外。

出现竞争要约时,发出初始要约的收购人变更收购要约距初始要约收购期限届满不足 15 日的,应当延长收购期限,延长后的要约期应当不少于 15 日,不得超过最后一个竞争要约的期满日,并按规定比例追加履约保证金;以证券支付收购价款的,应当追加相应数量的证券,交由证券登记结算机构保管。

发出竞争要约的收购人最迟不得晚于初始要约收购期限届满前 15 日发出要约收购的提示性公告,并应当根据本办法第二十八条和第二十九条的规定履行报告、公告义务。

第四十一条 要约收购报告书所披露的基本事实发生重大变化的,收购人应当在该重大变化发生之日起 2 个工作日内,向中国证监会作出书面报告,同时抄报派出机构,抄送证券交易所,通知被收购公司,并予公告。

第四十二条 同意接受收购要约的股东(以下简称预受股东),应当委托证券公司办理预受要约的相关手续。收购人应当委托证券公司向证券登记结算机构申请办理预受要约股票的临时保管。证券登记结算机构临时保管的预受要约的股票，在要约收购期间不得转让。

前款所称预受，是指被收购公司股东同意接受要约的初步意思表示，在要约收购期限内不可撤回之前不构成承诺。在要约收购期限届满3个交易日前，预受股东可以委托证券公司办理撤回预受要约的手续，证券登记结算机构根据预受要约股东的撤回申请解除对预受要约股票的临时保管。在要约收购期限届满前3个交易日内，预受股东不得撤回其对要约的接受。在要约收购期限内，收购人应当每日在证券交易所网站上公告已预受收购要约的股份数量。

出现竞争要约时，接受初始要约的预受股东撤回全部或者部分预受的股份，并将撤回的股份售予竞争要约人的，应当委托证券公司办理撤回预受初始要约的手续和预受竞争要约的相关手续。

第四十三条　收购期限届满，发出部分要约的收购人应当按照收购要约约定的条件购买被收购公司股东预受的股份，预受要约股份的数量超过预定收购数量时，收购人应当按照同等比例收购预受要约的股份；以终止被收购公司上市地位为目的的，收购人应当按照收购要约约定的条件购买被收购公司股东预受的全部股份；未取得中国证监会豁免而发出全面要约的收购人应当购买被收购公司股东预受的全部股份。

收购期限届满后3个交易日内，接受委托的证券公司应当向证券登记结算机构申请办理股份转让结算、过户登记手续，解除对超过预定收购比例的股票的临时保管；收购人应当公告本次要约收购的结果。

第四十四条　收购期限届满，被收购公司股权分布不符合上市条件，该上市公司的股票由证券交易所依法终止上市交易。在收购行为完成前，其余仍持有被收购公司股票的股东，有权在收购报告书规定的合理期限内向收购人以收购要约的同等条件出售其股票，收购人应当收购。

第四十五条　收购期限届满后15日内，收购人应当向中国证监会报送关于收购情况的书面报告，同时抄报派出机构，抄送证券交易所，通知被收购公司。

第四十六条　除要约方式外，投资者不得在证券交易所外公开求购上市公司的股份。

第四章　协议收购

第四十七条　收购人通过协议方式在一个上市公司中拥有权益的股份达到或者超过该公司已发行股份的5%，但未超过30%的，按照本办法第二章的规定办理。

收购人拥有权益的股份达到该公司已发行股份的30%时，继续进行收购的，应当依法向该上市公司的股东发出全面要约或者部分要约。符合本办法第六章规定情形的,收购人可以向中国证监会申请免除发出要约。

收购人拟通过协议方式收购一个上市公司的股份超过30%的,超过30%的部分,应当改以要约方式进行;但符合本办法第六章规定情形的,收购人可以向中国证监会申请免除发出要约。收购人在取得中国证监会豁免后,履行其收购协议;未取得中国证监会豁免且拟继续履行其收购协议的,或者不申请豁免的,在履行其收购协议前,应当发出全面要约。

第四十八条 以协议方式收购上市公司股份超过30%,收购人拟依据本办法第六章的规定申请豁免的,应当在与上市公司股东达成收购协议之日起3日内编制上市公司收购报告书,提交豁免申请及本办法第五十条规定的相关文件,委托财务顾问向中国证监会、证券交易所提交书面报告,同时抄报派出机构,通知被收购公司,并公告上市公司收购报告书摘要。派出机构收到书面报告后通报上市公司所在地省级人民政府。

收购人自取得中国证监会的豁免之日起3日内公告其收购报告书、财务顾问专业意见和律师出具的法律意见书;收购人未取得豁免的,应当自收到中国证监会的决定之日起3日内予以公告,并按照本办法第六十一条第二款的规定办理。

中国证监会发现收购报告书不符合法律、行政法规及相关规定的,应当及时告知收购人,收购人未纠正的,不得公告收购报告书,在公告前不得履行收购协议。

第四十九条 依据前条规定所作的上市公司收购报告书,须披露本办法第二十九条第(一)项至第(六)项和第(九)项至第(十四)项规定的内容及收购协议的生效条件和付款安排。

已披露收购报告书的收购人在披露之日起6个月内,因权益变动需要再次报告、公告的,可以仅就与前次报告书不同的部分作出报告、公告;超过6个月的,应当按照本办法第二章的规定履行报告、公告义务。

第五十条 收购人进行上市公司的收购,应当向中国证监会提交以下文件:

(一)中国公民的身份证明,或者在中国境内登记注册的法人、其他组织的证明文件;

(二)基于收购人的实力和从业经验对上市公司后续发展计划可行性的说明,收购人拟修改公司章程、改选公司董事会、改变或者调整公司主营业务的,还应当补充其具备规范运作上市公司的管理能力的说明;

(三)收购人及其关联方与被收购公司存在同业竞争、关联交易的,应提供避免同业竞争等利益冲突、保持被收购公司经营独立性的说明;

(四)收购人为法人或者其他组织的,其控股股东、实际控制人最近2年未变更的说明;

(五)收购人及其控股股东或实际控制人的核心企业和核心业务、关联企业及主营业务的说明;收购人或其实际控制人为两个或两个以上的上市公司控股股东或实际控制人的,还应当提供其持股5%以上的上市公司以及银行、信托公司、证券公司、保险公司等其他金融机构的情况说明;

(六)财务顾问关于收购人最近3年的诚信记录、收购资金来源合法性、收购人具备履行相关承诺的能力以及相关信息披露内容真实性、准确性、完整性的核查意见;收购人成立未满3年的,财务顾问还应当提供其控股股东或者实际控制人最近3年诚信记录的核查意见。

境外法人或者境外其他组织进行上市公司收购的,除应当提交第一款第(二)项至第(六)项规定的文件外,还应当提交以下文件:

(一)财务顾问出具的收购人符合对上市公司进行战略投资的条件、具有收购上市公司的能力的核查意见;

(二)收购人接受中国司法、仲裁管辖的声明。

第五十一条 上市公司董事、监事、高级管理人员、员工或者其所控制或者委托的法人或者其他组织,拟对本公司进行收购或者通过本办法第五章规定的方式取得本公司控制权(以下简称管理层收购)的,该上市公司应当具备健全且运行良好的组织机构以及有效的内部控制制度,公司董事会成员中独立董事的比例应当达到或者超过1/2。公司应当聘请具有证券、期货从业资格的资产评估机构提供公司资产评估报告,本次收购应当经董事会非关联董事作出决议,且取得2/3以上的独立董事同意后,提交公司股东大会审议,经出席股东大会的非关联股东所持表决权过半数通过。独立董事发表意见前,应当聘请独立财务顾问就本次收购出具专业意见,独立董事及独立财务顾问的意见应当一并予以公告。

上市公司董事、监事、高级管理人员存在《公司法》第一百四十九条规定情形,或者最近3年有证券市场不良诚信记录的,不得收购本公司。

第五十二条 以协议方式进行上市公司收购的,自签订收购协议起至相关股份完成过户的期间为上市公司收购过渡期(以下简称过渡期)。在过渡期内,收购人不得通过控股股东提议改选上市公司董事会,确有充分理由改选董事会的,来自收购人的董事不得超过董事会成员的1/3;被收购公司不得为收购人及其关联方提供担保;被收购公司不得公开发行股份募集资金,不得进行重大购买、出售资产及重大投资行为或者与收购人及其关联方进行其他关联交易,但收购人为挽救陷入危机或者面临严重财务困难的上市公司的情形除外。

第五十三条 上市公司控股股东向收购人协议转让其所持有的上市公司股份的,应当对收购人的主体资格、诚信情况及收购意图进行调查,并在其权益变动报告书中披露有关调查情况。

控股股东及其关联方未清偿其对公司的负债,未解除公司为其负债提供的担保,或者存在损害公司利益的其他情形的,被收购公司董事会应当对前述情形及时予以披露,并采取有效措施维护公司利益。

第五十四条 协议收购的相关当事人应当向证券登记结算机构申请办理拟转让股份的临时保管手续,并可以将用于支付的现金存放于证券登记结算机构指定的银行。

第五十五条 收购报告书公告后,相关当事人应当按照证券交易所和证券登记结算机构的业务规则,在证券交易所就本次股份转让予以确认后,凭全部转让款项存放于双方认可的银行账户的证明,向证券登记结算机构申请解除拟协议转让股票的临时保管,并办理过户登记手续。

收购人未按规定履行报告、公告义务,或者未按规定提出申请的,证券交易所和证券登记结算机构不予办理股份转让和过户登记手续。

收购人在收购报告书公告后30日内仍未完成相关股份过户手续的,应当立即作出公告,说明理由;在未完成相关股份过户期间,应当每隔30日公告相关股份过户办理进展情况。

第五章 间接收购

第五十六条 收购人虽不是上市公司的股东,但通过投资关系、协议、其他安排导致其拥有权益的股份达到或者超过一个上市公司已发行股份的5%未超过30%的,应当按照本办法第二章的规定办理。

收购人拥有权益的股份超过该公司已发行股份的30%的,应当向该公司所有股东发出全面要约;收购人预计无法在事实发生之日起30日内发出全面要约的,应当在前述30日内促使其控制的股东将所持有的上市公司股份减持至30%或者30%以下,并自减持之日起2个工作日内予以公告;其后收购人或者其控制的股东拟继续增持的,应当采取要约方式;拟依据本办法第六章的规定申请豁免的,应当按照本办法第四十八条的规定办理。

第五十七条 投资者虽不是上市公司的股东,但通过投资关系取得对上市公司股东的控制权,而受其支配的上市公司股东所持股份达到前条规定比例、且对该股东的资产和利润构成重大影响的,应当按照前条规定履行报告、公告义务。

第五十八条 上市公司实际控制人及受其支配的股东,负有配合上市公司真实、准确、完整披露有关实际控制人发生变化的信息的义务;实际控制人及受其支配的股东拒不履行上述配合义务,导致上市公司无法履行法定信息披露义务而承担民事、行政责任的,上市公司有权对其提起诉讼。实际控制人、控股股东指使上市公司及其有关人员不依法履行信息披露义务的,中国证监会依法进行查处。

第五十九条 上市公司实际控制人及受其支配的股东未履行报告、公告义务的,上市公司应当自知悉之日起立即作出报告和公告。上市公司就实际控制人发生变化的情况予以公告后，实际控制人仍未披露的，上市公司董事会应当向实际控制人和受其支配的股东查询，必要时可以聘请财务顾问进行查询，并将查询情况向中国证监会、派出机构和证券交易所报告；中国证监会依法对拒不履行报告、公告义务的实际控制人进行查处。

上市公司知悉实际控制人发生较大变化而未能将有关实际控制人的变化情况及时予以报告和公告的，中国证监会责令改正，情节严重的，认定上市公司负有责任的董事为不适当人选。

第六十条　上市公司实际控制人及受其支配的股东未履行报告、公告义务，拒不履行第五十八条规定的配合义务，或者实际控制人存在不得收购上市公司情形的，上市公司董事会应当拒绝接受受实际控制人支配的股东向董事会提交的提案或者临时议案，并向中国证监会、派出机构和证券交易所报告。中国证监会责令实际控制人改正，可以认定实际控制人通过受其支配的股东所提名的董事为不适当人选；改正前，受实际控制人支配的股东不得行使其持有股份的表决权。上市公司董事会未拒绝接受实际控制人及受其支配的股东所提出的提案的，中国证监会可以认定负有责任的董事为不适当人选。

第六章　豁免申请

第六十一条　符合本办法第六十二条、第六十三条规定情形的，投资者及其一致行动人可以向中国证监会申请下列豁免事项：

（一）免于以要约收购方式增持股份；

（二）存在主体资格、股份种类限制或者法律、行政法规、中国证监会规定的特殊情形的，可以申请免于向被收购公司的所有股东发出收购要约。

未取得豁免的，投资者及其一致行动人应当在收到中国证监会通知之日起30日内将其或者其控制的股东所持有的被收购公司股份减持到30%或者30%以下；拟以要约以外的方式继续增持股份的，应当发出全面要约。

第六十二条　有下列情形之一的，收购人可以向中国证监会提出免于以要约方式增持股份的申请：

（一）收购人与出让人能够证明本次转让未导致上市公司的实际控制人发生变化；

（二）上市公司面临严重财务困难，收购人提出的挽救公司的重组方案取得该公司股东大会批准，且收购人承诺3年内不转让其在该公司中所拥有的权益；

（三）经上市公司股东大会非关联股东批准，收购人取得上市公司向其发行的新股，导致其在该公司拥有权益的股份超过该公司已发行股份的30%，收购人承诺3年内不转让其拥有权益的股份，且公司股东大会同意收购人免于发出要约；

（四）中国证监会为适应证券市场发展变化和保护投资者合法权益的需要而认定的其他情形。

收购人报送的豁免申请文件符合规定，并且已经按照本办法的规定履行报告、公告义务的，中国证监会予以受理；不符合规定或者未履行报告、公告义务的，中国证监会不予受理。中国证监会在受理豁免申请后20个工作日内，就收购人所申请的具体事项做出是否予以豁免的决定；取得豁免的，收购人可以继续增持股份。

第六十三条 有下列情形之一的，当事人可以向中国证监会申请以简易程序免除发出要约：

（一）经政府或者国有资产管理部门批准进行国有资产无偿划转、变更、合并，导致投资者在一个上市公司中拥有权益的股份占该公司已发行股份的比例超过30%；

（二）在一个上市公司中拥有权益的股份达到或者超过该公司已发行股份的30%的，自上述事实发生之日起一年后，每12个月内增加其在该公司中拥有权益的股份不超过该公司已发行股份的2%；

（三）在一个上市公司中拥有权益的股份达到或者超过该公司已发行股份的50%的，继续增加其在该公司拥有的权益不影响该公司的上市地位；

（四）因上市公司按照股东大会批准的确定价格向特定股东回购股份而减少股本，导致当事人在该公司中拥有权益的股份超过该公司已发行股份的30%；

（五）证券公司、银行等金融机构在其经营范围内依法从事承销、贷款等业务导致其持有一个上市公司已发行股份超过30%，没有实际控制该公司的行为或者意图，并且提出在合理期限内向非关联方转让相关股份的解决方案；

（六）因继承导致在一个上市公司中拥有权益的股份超过公司已发行股份的30%；

（七）中国证监会为适应证券市场发展变化和保护投资者合法权益的需要而认定的其他情形。

根据前款第（一）项和第（三）项至第（七）项规定提出豁免申请的，中国证监会自收到符合规定的申请文件之日起10个工作日内未提出异议的，相关投资者可以向证券交易所和证券登记结算机构申请办理股份转让和过户登记手续；根据前款第（二）项规定，相关投资者在增持行为完成后3日内应当就股份增持情况做出公告，并向中国证监会提出豁免申请，中国证监会自收到符合规定的申请文件之日起10个工作日内做出是否予以豁免的决定。中国证监会不同意其以简易程序申请的，相关投资者应当按照本办法第六十二条的规定提出申请。

第六十四条 收购人提出豁免申请的，应当聘请律师事务所等专业机构出具专业意见。

第七章 财务顾问

第六十五条 收购人聘请的财务顾问应当履行以下职责：

（一）对收购人的相关情况进行尽职调查；

（二）应收购人的要求向收购人提供专业化服务，全面评估被收购公司的财务和经营状况，帮助收购人分析收购所涉及的法律、财务、经营风险，就收购方案所涉及的收购价格、收购方式、支付安排等事项提出对策建议，并指导收购人按照规定的内容与格式制作申报文件；

（三）对收购人进行证券市场规范化运作的辅导，使收购人的董事、监事和高级管理人员熟悉有关法律、行政法规和中国证监会的规定，充分了解其应当承担的义务和责任，督促其依法履行报告、公告和其他法定义务；

（四）对收购人是否符合本办法的规定及申报文件内容的真实性、准确性、完整性进行充分核查和验证，对收购事项客观、公正地发表专业意见；

（五）接受收购人委托，向中国证监会报送申报材料，根据中国证监会的审核意见，组织、协调收购人及其他专业机构予以答复；

（六）与收购人签订协议，在收购完成后 12 个月内，持续督导收购人遵守法律、行政法规、中国证监会的规定、证券交易所规则、上市公司章程，依法行使股东权利，切实履行承诺或者相关约定。

第六十六条 收购人聘请的财务顾问就本次收购出具的财务顾问报告，应当对以下事项进行说明和分析，并逐项发表明确意见：

（一）收购人编制的上市公司收购报告书或者要约收购报告书所披露的内容是否真实、准确、完整；

（二）本次收购的目的；

（三）收购人是否提供所有必备证明文件，根据对收购人及其控股股东、实际控制人的实力、从事的主要业务、持续经营状况、财务状况和诚信情况的核查，说明收购人是否具备主体资格，是否具备收购的经济实力，是否具备规范运作上市公司的管理能力，是否需要承担其他附加义务及是否具备履行相关义务的能力，是否存在不良诚信记录；

（四）对收购人进行证券市场规范化运作辅导的情况，其董事、监事和高级管理人员是否已经熟悉有关法律、行政法规和中国证监会的规定，充分了解应承担的义务和责任，督促其依法履行报告、公告和其他法定义务的情况；

（五）收购人的股权控制结构及其控股股东、实际控制人支配收购人的方式；

（六）收购人的收购资金来源及其合法性，是否存在利用本次收购的股份向银行等金融机构质押取得融资的情形；

（七）涉及收购人以证券支付收购价款的，应当说明有关该证券发行人的信息披露是否真实、准确、完整以及该证券交易的便捷性等情况；

（八）收购人是否已经履行了必要的授权和批准程序；

（九）是否已对收购过渡期间保持上市公司稳定经营作出安排，该安排是否符合有关规定；

（十）对收购人提出的后续计划进行分析，收购人所从事的业务与上市公司从事的业务存在同业竞争、关联交易的，对收购人解决与上市公司同业竞争等利益冲突及保持上市公司经营独立性的方案进行分析，说明本次收购对上市公司经营独立性和持续发展可能产生的影响；

（十一）在收购标的上是否设定其他权利，是否在收购价款之外还作出其他补偿安排；

（十二）收购人及其关联方与被收购公司之间是否存在业务往来，收购人与被收购公司的董事、监事、高级管理人员是否就其未来任职安排达成某种协议或者默契；

（十三）上市公司原控股股东、实际控制人及其关联方是否存在未清偿对公司的负债、未解除公司为其负债提供的担保或者损害公司利益的其他情形；存在该等情形的，是否已提出切实可行的解决方案；

（十四）涉及收购人拟提出豁免申请的，应当说明本次收购是否属于可以得到豁免的情形，收购人是否作出承诺及是否具备履行相关承诺的实力。

第六十七条 上市公司董事会或者独立董事聘请的独立财务顾问，不得同时担任收购人的财务顾问或者与收购人的财务顾问存在关联关系。独立财务顾问应当根据委托进行尽职调查，对本次收购的公正性和合法性发表专业意见。独立财务顾问报告应当对以下问题进行说明和分析，发表明确意见：

（一）收购人是否具备主体资格；

（二）收购人的实力及本次收购对被收购公司经营独立性和持续发展可能产生的影响分析；

（三）收购人是否存在利用被收购公司的资产或者由被收购公司为本次收购提供财务资助的情形；

（四）涉及要约收购的，分析被收购公司的财务状况，说明收购价格是否充分反映被收购公司价值，收购要约是否公平、合理，对被收购公司社会公众股股东接受要约提出的建议；

（五）涉及收购人以证券支付收购价款的，还应当根据该证券发行人的资产、业务和盈利预测，对相关证券进行估值分析，就收购条件对被收购公司的社会公众股股东是否公平合理、是否接受收购人提出的收购条件提出专业意见；

（六）涉及管理层收购的，应当对上市公司进行估值分析，就本次收购的定价依据、支付方式、收购资金来源、融资安排、还款计划及其可行性、上市公司内部控制制度的执行情况及其有效性、上述人员及其直系亲属在最近24个月内与上市公司业务往来情况以及收购报告书披露的其他内容等进行全面核查,发表明确意见。

第六十八条　财务顾问受托向中国证监会报送申报文件,应当在财务顾问报告中作出以下承诺:

(一)已按照规定履行尽职调查义务,有充分理由确信所发表的专业意见与收购人申报文件的内容不存在实质性差异;

(二)已对收购人申报文件进行核查,确信申报文件的内容与格式符合规定;

(三)有充分理由确信本次收购符合法律、行政法规和中国证监会的规定,有充分理由确信收购人披露的信息真实、准确、完整,不存在虚假记载、误导性陈述和重大遗漏;

(四)就本次收购所出具的专业意见已提交其内核机构审查,并获得通过;

(五)在担任财务顾问期间,已采取严格的保密措施,严格执行内部防火墙制度;

(六)与收购人已订立持续督导协议。

第六十九条　财务顾问在收购过程中和持续督导期间,应当关注被收购公司是否存在为收购人及其关联方提供担保或者借款等损害上市公司利益的情形,发现有违法或者不当行为的,应当及时向中国证监会、派出机构和证券交易所报告。

第七十条　财务顾问为履行职责,可以聘请其他专业机构协助其对收购人进行核查,但应当对收购人提供的资料和披露的信息进行独立判断。

第七十一条　自收购人公告上市公司收购报告书至收购完成后12个月内,财务顾问应当通过日常沟通、定期回访等方式,关注上市公司的经营情况,结合被收购公司定期报告和临时公告的披露事宜,对收购人及被收购公司履行持续督导职责:

(一)督促收购人及时办理股权过户手续,并依法履行报告和公告义务;

(二)督促和检查收购人及被收购公司依法规范运作;

(三)督促和检查收购人履行公开承诺的情况;

(四)结合被收购公司定期报告,核查收购人落实后续计划的情况,是否达到预期目标,实施效果是否与此前的披露内容存在较大差异,是否实现相关盈利预测或者管理层预计达到的目标;

(五)涉及管理层收购的,核查被收购公司定期报告中披露的相关还款计划的落实情况与事实是否一致;

(六)督促和检查履行收购中约定的其他义务的情况。

在持续督导期间,财务顾问应当结合上市公司披露的季度报告、半年度报告和年度报告出具持续督导意见,并在前述定期报告披露后的 15 日内向派出机构报告。

在此期间,财务顾问发现收购人在上市公司收购报告书中披露的信息与事实不符的,应当督促收购人如实披露相关信息,并及时向中国证监会、派出机构、证券交易所报告。财务顾问解除委托合同的,应当及时向中国证监会、派出机构作出书面报告,说明无法继续履行持续督导职责的理由,并予公告。

第八章　持续监管

第七十二条　在上市公司收购行为完成后 12 个月内,收购人聘请的财务顾问应当在每季度前 3 日内就上一季度对上市公司影响较大的投资、购买或者出售资产、关联交易、主营业务调整以及董事、监事、高级管理人员的更换、职工安置、收购人履行承诺等情况向派出机构报告。

收购人注册地与上市公司注册地不同的,还应当将前述情况的报告同时抄报收购人所在地的派出机构。

第七十三条　派出机构根据审慎监管原则,通过与承办上市公司审计业务的会计师事务所谈话、检查财务顾问持续督导责任的落实、定期或者不定期的现场检查等方式,在收购完成后对收购人和上市公司进行监督检查。

派出机构发现实际情况与收购人披露的内容存在重大差异的,对收购人及上市公司予以重点关注,可以责令收购人延长财务顾问的持续督导期,并依法进行查处。

在持续督导期间,财务顾问与收购人解除合同的,收购人应当另行聘请其他财务顾问机构履行持续督导职责。

第七十四条　在上市公司收购中,收购人持有的被收购公司的股份,在收购完成后 12 个月内不得转让。

收购人在被收购公司中拥有权益的股份在同一实际控制人控制的不同主体之间进行转让不受前述 12 个月的限制,但应当遵守本办法第六章的规定。

第九章　监管措施与法律责任

第七十五条　上市公司的收购及相关股份权益变动活动中的信息披露义务人,未按本办法的规定履行报告、公告以及其他相关义务的,中国证监会责令改正,采取监管谈话、出具警示函、责令暂停或者停止收购等监管措施。在改正前,相关信息披露义务人不得对其持有或者实际支配的股份行使表决权。

第七十六条　上市公司的收购及相关股份权益变动活动中的信息披露义务人

在报告、公告等文件中有虚假记载、误导性陈述或者重大遗漏的,中国证监会责令改正,采取监管谈话、出具警示函、责令暂停或者停止收购等监管措施。在改正前,收购人对其持有或者实际支配的股份不得行使表决权。

第七十七条　投资者及其一致行动人取得上市公司控制权而未按照本办法的规定聘请财务顾问,规避法定程序和义务,变相进行上市公司的收购,或者外国投资者规避管辖的,中国证监会责令改正,采取出具警示函、责令暂停或者停止收购等监管措施。在改正前,收购人不得对其持有或者实际支配的股份行使表决权。

第七十八条　发出收购要约的收购人在收购要约期限届满,不按约定支付收购价款或者购买预受股份的,自该事实发生之日起3年内不得收购上市公司,中国证监会不受理收购人及其关联方提交的申报文件;涉嫌虚假信息披露、操纵证券市场的,中国证监会对收购人进行立案稽查,依法追究其法律责任。

前款规定的收购人聘请的财务顾问没有充分证据表明其勤勉尽责的,中国证监会依法追究法律责任。

第七十九条　上市公司控股股东和实际控制人在转让其对公司的控制权时,未清偿其对公司的负债,未解除公司为其提供的担保,或者未对其损害公司利益的其他情形作出纠正的,中国证监会责令改正、责令暂停或者停止收购活动。

被收购公司董事会未能依法采取有效措施促使公司控股股东、实际控制人予以纠正,或者在收购完成后未能促使收购人履行承诺、安排或者保证的,中国证监会可以认定相关董事为不适当人选。

第八十条　上市公司董事未履行忠实义务和勤勉义务,利用收购谋取不当利益的,中国证监会采取监管谈话、出具警示函等监管措施,可以认定为不适当人选。

上市公司章程中涉及公司控制权的条款违反法律、行政法规和本办法规定的,中国证监会责令改正。

第八十一条　为上市公司收购出具资产评估报告、审计报告、法律意见书和财务顾问报告的证券服务机构或者证券公司及其专业人员,未依法履行职责的,中国证监会责令改正,采取监管谈话、出具警示函等监管措施。

第八十二条　中国证监会将上市公司的收购及相关股份权益变动活动中的当事人的违法行为和整改情况记入诚信档案。

违反本办法的规定构成证券违法行为的,依法追究法律责任。

第十章　附　　则

第八十三条　本办法所称一致行动,是指投资者通过协议、其他安排,与其他投资者共同扩大其所能够支配的一个上市公司股份表决权数量的行为或者事实。

在上市公司的收购及相关股份权益变动活动中有一致行动情形的投资者，互为一致行动人。如无相反证据，投资者有下列情形之一的，为一致行动人：

（一）投资者之间有股权控制关系；

（二）投资者受同一主体控制；

（三）投资者的董事、监事或者高级管理人员中的主要成员，同时在另一个投资者担任董事、监事或者高级管理人员；

（四）投资者参股另一投资者，可以对参股公司的重大决策产生重大影响；

（五）银行以外的其他法人、其他组织和自然人为投资者取得相关股份提供融资安排；

（六）投资者之间存在合伙、合作、联营等其他经济利益关系；

（七）持有投资者30%以上股份的自然人，与投资者持有同一上市公司股份；

（八）在投资者任职的董事、监事及高级管理人员，与投资者持有同一上市公司股份；

（九）持有投资者30%以上股份的自然人和在投资者任职的董事、监事及高级管理人员，其父母、配偶、子女及其配偶、配偶的父母、兄弟姐妹及其配偶、配偶的兄弟姐妹及其配偶等亲属，与投资者持有同一上市公司股份；

（十）在上市公司任职的董事、监事、高级管理人员及其前项所述亲属同时持有本公司股份的，或者与其自己或者其前项所述亲属直接或者间接控制的企业同时持有本公司股份；

（十一）上市公司董事、监事、高级管理人员和员工与其所控制或者委托的法人或者其他组织持有本公司股份；

（十二）投资者之间具有其他关联关系。

一致行动人应当合并计算其所持有的股份。投资者计算其所持有的股份，应当包括登记在其名下的股份，也包括登记在其一致行动人名下的股份。

投资者认为其与他人不应被视为一致行动人的，可以向中国证监会提供相反证据。

第八十四条 有下列情形之一的，为拥有上市公司控制权：

（一）投资者为上市公司持股50%以上的控股股东；

（二）投资者可以实际支配上市公司股份表决权超过30%；

（三）投资者通过实际支配上市公司股份表决权能够决定公司董事会半数以上成员选任；

（四）投资者依其可实际支配的上市公司股份表决权足以对公司股东大会的决议产生重大影响；

（五）中国证监会认定的其他情形。

第八十五条 信息披露义务人涉及计算其持股比例的，应当将其所持有的上市公司已发行的可转换为公司股票的证券中有权转换部分与其所持有的同一上市公司的股份合并计算,并将其持股比例与合并计算非股权类证券转为股份后的比例相比,以二者中的较高者为准;行权期限届满未行权的,或者行权条件不再具备的,无需合并计算。

前款所述二者中的较高者,应当按下列公式计算:

(一)投资者持有的股份数量/上市公司已发行股份总数

(二)(投资者持有的股份数量＋投资者持有的可转换为公司股票的非股权类证券所对应的股份数量)/(上市公司已发行股份总数＋上市公司发行的可转换为公司股票的非股权类证券所对应的股份总数)

第八十六条 投资者因行政划转、执行法院裁决、继承、赠与等方式取得上市公司控制权的,应当按照本办法第四章的规定履行报告、公告义务。

第八十七条 权益变动报告书、收购报告书、要约收购报告书、被收购公司董事会报告书、要约收购豁免申请文件等文件的内容与格式,由中国证监会另行制定。

第八十八条 被收购公司在境内、境外同时上市的,收购人除应当遵守本办法及中国证监会的相关规定外,还应当遵守境外上市地的相关规定。

第八十九条 外国投资者收购上市公司及在上市公司中拥有的权益发生变动的,除应当遵守本办法的规定外,还应当遵守外国投资者投资上市公司的相关规定。

第九十条 本办法自2006年9月1日起施行。中国证监会发布的《上市公司收购管理办法》(证监会令第10号)、《上市公司股东持股变动信息披露管理办法》(证监会令第11号)、《关于要约收购涉及的被收购公司股票上市交易条件有关问题的通知》(证监公司字〔2003〕16号)和《关于规范上市公司实际控制权转移行为有关问题的通知》(证监公司字〔2004〕1号)同时废止。

建设项目环境影响评价分类管理名录

(2008年9月2日环境保护部令第2号公布 自2008年10月1日起施行)

第一条 为了实施建设项目环境影响评价分类管理,根据《环境影响评价法》第十六条的规定,制定本名录。

第二条 国家根据建设项目对环境的影响程度,对建设项目的环境影响评价实行分类管理。

建设单位应当按照本名录的规定，分别组织编制环境影响报告书、环境影响报告表或者填报环境影响登记表。

第三条　本名录所称环境敏感区，是指依法设立的各级各类自然、文化保护地，以及对建设项目的某类污染因子或者生态影响因子特别敏感的区域，主要包括：

（一）自然保护区、风景名胜区、世界文化和自然遗产地、饮用水水源保护区；

（二）基本农田保护区、基本草原、森林公园、地质公园、重要湿地、天然林、珍稀濒危野生动植物天然集中分布区、重要水生生物的自然产卵场及索饵场、越冬场和洄游通道、天然渔场、资源性缺水地区、水土流失重点防治区、沙化土地封禁保护区、封闭及半封闭海域、富营养化水域；

（三）以居住、医疗卫生、文化教育、科研、行政办公等为主要功能的区域，文物保护单位，具有特殊历史、文化、科学、民族意义的保护地。

第四条　建设项目所处环境的敏感性质和敏感程度，是确定建设项目环境影响评价类别的重要依据。

建设涉及环境敏感区的项目，应当严格按照本名录确定其环境影响评价类别，不得擅自提高或者降低环境影响评价类别。环境影响评价文件应当就该项目对环境敏感区的影响作重点分析。

第五条　跨行业、复合型建设项目，其环境影响评价类别按其中单项等级最高的确定。

第六条　本名录未作规定的建设项目，其环境影响评价类别由省级环境保护行政主管部门根据建设项目的污染因子、生态影响因子特征及其所处环境的敏感性质和敏感程度提出建议，报国务院环境保护行政主管部门认定。

第七条　本名录由国务院环境保护行政主管部门负责解释，并适时修订公布。

第八条　本名录自 2008 年 10 月 1 日起施行。《建设项目环境保护分类管理名录》（国家环境保护总局令第 14 号）同时废止。

项目类别	报　告　书	报　告　表	登　记　表	本栏目环境敏感区含义
A　水利				
1. 水库	库容1000万立方米以上;涉及环境敏感区的	其他	/	(一)和(二)中的自然产卵场及重要水生生物的自然产卵场及索饵场、越冬场和洄游通道
2. 灌区	新建5万亩以上;改造30万亩以上	其他	/	
3. 引水工程	跨流域调水;大中型河流引水;小型河流年总引水量超过天然年径流量1/4以上的;涉及环境敏感区的	其他	/	(一)、(三)和(二)中的资源性缺水地区、重要水生生物的自然产卵场及索饵场、越冬场和洄游通道
4. 防洪工程	新建大中型	其他	/	
5. 地下水开采	日取水量1万立方米以上;涉及环境敏感区的	其他	/	(一)和(二)中的资源性缺水地区、重要湿地
B　农、林、牧、渔				
1. 农业垦殖	5000亩以上;涉及环境敏感区的	其他	/	(一)和(二)中的基本草原、重要湿地、资源性缺水地区、水土流失重点防治区、富营养化水域
2. 农田改造项目	/	涉及环境敏感区的	不涉及环境敏感区的	
3. 农产品基地项目	涉及环境敏感区的	不涉及环境敏感区的	/	

项目类别 环评类别	报 告 书	报 告 表	登 记 表	本栏目环境敏感区含义
4. 经济林基地	原料林基地	其他	√	
5. 森林采伐	皆伐	间伐	√	
6. 防沙治沙工程		全部	√	
7. 养殖场（区）	猪常年存栏量 3000 头以上；肉牛常年存栏量 600 头以上；奶牛常年存栏量 500 头以上；家禽常年存栏量 10 万只以上；涉及环境敏感区的	其他	√	（一）、（三）和（二）中的营营养化水域
8. 围栏养殖	年存栏量折合 5000 羊单位以上	年存栏量折合 5000～500 羊单位	年存栏量折合 500 羊单位以下	
9. 水产养殖项目	网箱、围网等投饵养殖，涉及环境敏感区的	其他	√	（一）和（二）中的封闭及半封闭海域、富营养化水域
10. 农业转基因项目，物种引进项目	全部	√		
C 地质勘查				
1. 基础地质勘查		全部	√	
2. 水利、水电工程地质勘查		全部	√	

193

项目类别＼环评类别	报 告 书	报 告 表	登 记 表	本栏目环境敏感区含义
3. 矿产地质勘查	／	全部	／	
D 煤炭				
1. 煤层气开采	年生产能力 1 亿立方米以上；涉及环境敏感区的	其他		（一）、（三）和（二）中的基本草原、水土流失重点防治区、沙化土地封禁保护区
2. 煤炭开采	全部	／	／	
3. 焦化	全部	／	／	
4. 煤炭液化、气化	全部	／	／	
5. 选煤、配煤	新建	改、扩建	／	
6. 煤炭储存、集运	／	全部	／	
7. 型煤、水煤浆生产	／	全部	／	
E 电力				
1. 火力发电（包括热电）	全部	／		

194

环评类别 项目类别	报　告　书	报　告　表	登　记　表	本栏目环境敏感区含义
2. 水力发电	总装机 1000 千瓦以上;抽水蓄能电站;涉及环境敏感区的	其他	/	(一)和(二)中的重要水生生物的自然产卵场及索饵场,越冬场和洄游通道
3. 生物质发电	农林生物质直接燃烧或气化发电,生活垃圾焚烧发电	沼气发电,垃圾填埋气发电	/	
4. 综合利用发电	利用矸石、油页岩、石油焦、污泥、蔗渣等发电	单纯利用余热、余压、余气(含瓦斯、煤层气)发电	/	
5. 其他能源发电	潮汐发电;总装机容量 50000 千瓦以上的风力发电,涉及环境敏感区的	利用地热、太阳能等发电;其他能风力发电	/	(一)和(三)
6. 送(输)变电工程	500 千伏以上;330 千伏以上,涉及环境敏感区的	其他	/	(一)和(三)
7. 脱硫、脱硝等环保工程	海水脱硫		/	
F 石油、天然气				
1. 石油开采	全部	/	/	
2. 天然气开采(含净化)	全部	/	/	

项目类别 \ 环评类别	报 告 书	报 告 表	登 记 表	本栏目环境敏感区含义
3. 油库	总容量20万立方米以上；地下洞库	其他	/	
4. 气库	地下气库	其他	/	
5. 石油、天然气管线	200公里以上；涉及环境敏感区的	其他	/	(一)、(三)和(二)中的基本农田保护区、地质公园、重要湿地、天然林
G 黑色金属				
1. 采选	全部	/	/	
2. 炼铁(含熔融还原)、球团及烧结	全部	/	/	
3. 炼钢	全部	/	/	
4. 铁合金制造和其他金属冶炼	全部	/	/	
5. 压延加工	年产50万吨以上冷轧	其他	/	
H 有色金属				
1. 采选	全部	/	/	

项目类别 环评类别	报告书	报告表	登记表	本栏目环境敏感区含义
2. 冶炼（含废金属冶炼）	全部	/	/	
3. 合金制造	全部	/	/	
4. 压延加工	/	全部	/	
I 金属制品				
1. 表面处理及热处理加工	电镀；使用有机涂层、有钝化工艺的热镀锌	其他	/	
2. 铸铁金属件制造	年产10万吨以上	年产10万吨～1万吨	年产1万吨以下	
3. 金属制品加工制造	/	全部	/	
J 非金属矿采选及制品制造				
1. 土砂石开采	年采10万立方米以上；涉及环境敏感区的	其他	/	（一）和（二）中的基本草原、沙化土地封禁保护区、水土流失重点防治区、重要水生生物的自然产卵场及索饵场、越冬场和洄游通道

项目类别\环评类别	报 告 书	报 告 表	登 记 表	本栏目环境敏感区含义
2. 化学矿采选	全部	√	√	
3. 采盐	井盐	湖盐；海盐	√	
4. 石棉及其他非金属矿采选	全部	√	√	
5. 水泥制造	全部	√	√	
6. 水泥粉磨站	年产100万吨以上	其他	√	
7. 砼结构构件制造	√	年产50万立方米以上	其他	
8. 石灰和石膏制造	√	全部	√	
9. 石材加工	√	年加工1万立方米以上	其他	
10. 人造石制造	√	全部	√	
11. 砖瓦制造	√	全部	√	
12. 玻璃及玻璃制品	日产玻璃500吨以上	其他	√	
13. 玻璃纤维及玻璃纤维增强塑料制品	年产3万吨以上玻璃纤维	其他	√	

项目类别 环评类别	报 告 书	报 告 表	登 记 表	本栏目环境敏感区含义
14. 陶瓷制品	年产 100 万平方米以上建筑陶瓷;年产 150 万件以上卫生陶瓷;年产 250 万件以上日用陶瓷	其他	/	
15. 耐火材料及其制品	石棉制品;年产 5000 吨以上岩棉	其他	/	
16. 石墨及其他非金属矿物制品	石墨、碳素	其他	/	
K 机械、电子				
1. 通用、专用设备制造	有电镀、喷漆工艺的	其他	/	
2. 铁路运输设备制造	机车,车辆及客车组制造,发动机,零部件生产(含电镀、喷漆)	其他	/	
3. 汽车、摩托车制造	整车制造,发动机;零部件生产(含电镀、喷漆)	其他	/	
4. 自行车制造	有电镀、喷漆工艺的	其他	/	
5. 船舶及浮动装置制造	金属船舶制造;拆船、修船	其他	/	

环评类别 项目类别	报 告 书	报 告 表	登 记 表	本栏目环境敏感区含义
6. 航空航天器制造	全部	/	/	
7. 交通运输设备及其他交通运输设备制造	含电镀、喷漆工艺的	其他	/	
8. 电气机械及器材制造	输配电及控制设备制造（含电镀、喷漆）；电池制造（无汞干电池除外）	其他	/	
9. 仪器仪表及文化、办公用机械制造	有电镀、喷漆工艺的	其他	/	
10. 彩管、玻壳、新型显示器件、光纤预制棒制造	全部	/	/	
11. 集成电路生产，半导体器件生产	前工序生产	其他	/	
12. 印刷电路板，电真空器件	印刷电路板	其他	/	
13. 半导体材料，电子陶瓷，有机薄膜，荧光粉，贵金属粉	全部	/	/	

项目类别 环评类别	报 告 书	报 告 表	登 记 表	本栏目环境敏感区含义
14. 电子配件组装	/	有分割、焊接、有机溶剂清洗工艺的	其他	
L 石化、化工				
1. 原油加工、天然气加工、油母页岩提炼原油、煤制原油、生物制油及其他石油制品	全部	/	/	
2. 基本化学原料制造，肥料制造，涂料、染料、颜料、油墨及其类似产品制造，合成材料制造，专用化学品制造，饲料、食品添加剂、水处理剂等	全部	/	/	
3. 农药制造	全部	/	/	
4. 农药制剂分装、复配	/	全部	/	

201

环评类别 项目类别	报 告 书	报 告 表	登 记 表	本栏目环境敏感区含义
5. 日用化学品制造	全部	/	/	
6. 单纯化学品混合、分装	/	全部	/	
M 医药				
1. 化学药品制造，生物、生化制品制造	全部	/	/	
2. 单纯药品分装、复配	/	全部	/	
3. 中成药制造、中药饮片加工	含提炼工艺的	其他	/	
N 轻工				
1. 粮食及饲料加工	年加工25万吨以上；含发酵工艺的	其他	/	
2. 植物油加工	年加工油料30万吨以上的制油加工；年加工植物油10万吨以上的精炼加工	其他	/	
3. 制糖	全部	/	/	

项目类别\环评类别	报 告 书	报 告 表	登 记 表	本栏目环境敏感区含义
4. 屠宰	年屠宰10万头畜类（或100万只禽类）以上	其他	/	
5. 肉禽类加工	/	年加工2万吨以上	其他	
6. 蛋品加工	/	新建	其他	
7. 水产品加工	年加工10万吨以上	年加工10万吨~2万吨；年加工2万吨以下，涉及环境敏感区的	其他	（一）和（三）
8. 食盐加工	/	全部	/	
9. 乳制品加工	年加工20万吨以上	其他	/	
10. 调味品、发酵制品制造	味精、柠檬酸、赖氨酸、淀粉、淀粉糖等制品	其他	/	
11. 酒精饮料及其他软饮料类制造	单纯勾兑除外的	单纯勾兑的	/	
12. 果菜汁类及其他软饮料制造	原汁生产	其他	/	
13. 其他食品制造	采用化学方法去去皮的水果类罐头制造	其他	/	

203

项目类别 环评类别	报 告 书	报 告 表	登 记 表	本栏目环境敏感区含义
14. 卷烟	年产 30 万箱以上	其他	/	
15. 锯材、木片加工、家具制造	有酸洗、磷化、电镀工艺的	其他	/	
16. 人造板制造	年产 20 万立方米以上	其他	/	
17. 竹、藤、棕、草制品制造	/	有化学处理工艺的	其他	
18. 纸浆制造、造纸（含废纸造纸）	全部	/	/	
19. 纸制品	/	有化学处理工艺的	其他	
20. 印刷、文教、体育用品制造、磁材料制品	/	全部	/	
21. 轮胎制造、再生橡胶制造、橡胶加工、橡胶制品翻新	全部	/	/	
22. 塑料制品制造	人造革、发泡胶等涉及有毒原材料的	其他	/	

环评类别 项目类别	报 告 书	报 告 表	登 记 表	本栏目环境敏感区含义
23. 工艺品制造	有电镀工艺的	有喷漆工艺和机加工的	其他	
24. 皮革、毛皮、羽毛（绒）制品	制革，毛皮鞣制	其他	/	
O 纺织化纤				
1. 化学纤维制造	全部	/	/	
2. 纺织品制造	有洗毛、染整、脱胶工段的；产生缫丝废水、精炼废水的	其他	/	
3. 服装制造	有湿法印花、染色、水洗工艺的	年加工 100 万件以上的	其他	
4. 鞋业制造	/	使用有机溶剂的	其他	
P 公路				
公路	三级以上等级公路；1000 米以上的独立隧道；主桥长度 1000 米以上的独立特大桥	三级以下等级公路，涉及环境敏感区的	其他	（一）、（二）和（三）

205

项目类别 / 环评类别	报 告 书	报 告 表	登 记 表	本栏目环境敏感区含义
Q 铁路				
1. 新建（含增建）	新建；增建 100 公里以上；涉及环境敏感区的	其他	/	（一）、（二）和（三）
2. 既有铁路改扩建	200 公里以上电气化改造；涉及环境敏感区的	既有铁路提速扩能；其他	/	（一）、（二）和（三）
3. 枢纽	新、改、扩建大型枢纽	其他	/	
R 民航机场				
1. 机场	新建；迁建；飞行区扩建、涉及环境敏感区的	航站区改扩建；其他	/	（三）
2. 导航台站、供油工程、维修保障等配套工程	/	全部	/	
S 水运				
1. 油气、液体化工码头	全部	/	/	

206

环评类别 / 项目类别	报 告 书	报 告 表	登 记 表	本栏目环境敏感区含义
2. 干散货、件杂、多用途码头	内河港口：单个泊位1000吨级以上；沿海港口：单个泊位1万吨级以上；涉及环境敏感区的	其他	/	（一）和（二）中的重要水生生物的自然产卵场及索饵场、越冬场和洄游通道、天然渔场
3. 集装箱专用码头	内河港口：单个泊位3000吨级以上；海港：单个泊位3万吨级以上；涉及环境敏感区的	其他	/	
4. 客运滚装码头	年客流量20万人次以上；年通过能力10万台（辆）以上；涉及环境敏感区的	其他	/	
5. 铁路轮渡码头	全部	/	/	
6. 航道工程、水运辅助工程	航道工程；防波堤、船闸、通航建筑物，涉及环境敏感区的	其他	/	（一）和（二）中的重要水生生物的自然产卵场及索饵场、越冬场和洄游通道、天然渔场
7. 航电枢纽工程	全部	/	/	
8. 中心渔港码头	涉及环境敏感区的	不涉及环境敏感区的	/	（一）和（二）中的重要水生生物的产卵场及索饵场、越冬场和洄游通道、天然渔场

项目类别 / 环评类别	报告书	报告表	登记表	本栏目环境敏感区含义
T 城市交通设施				
1. 轨道交通	全部	/	/	
2. 道路	新建、扩建	改建；绿化工程	其他	
3. 桥梁、隧道	高架路；立交桥；隧道；跨越大江大河（通航段）、海湾的桥梁	其他	/	
U 城市基础设施及房地产				
1. 煤气生产和供应	煤气生产	煤气供应	/	
2. 城市天然气供应	/	全部	/	
3. 热力生产和供应	燃煤、燃油锅炉总容量 65 吨/小时以上	其他	/	
4. 自来水生产和供应	有引水工程的；日供水 20 万吨以上	其他	/	
5. 生活污水集中处理	日处理 5 万吨以上	其他	/	
6. 工业废水集中处理	全部	/	/	

208

项目类别 \ 环评类别	报 告 书	报 告 表	登 记 表	本栏目环境敏感区含义
7. 海水淡化、其他水处理、利用	/	全部	/	
8. 管网建设	/	全部	/	
9. 生活垃圾集中转运站	/	全部	/	
10. 生活垃圾集中处理	全部	/	/	
11. 城镇粪便处理	/	日处理30吨以上	其他	
12. 危险废物(含医疗废物)集中处置	全部	/	/	
13. 仓储	涉及有毒、有害及危险品的仓储、物流配送	其他	/	
14. 坡塘河道、湖泊整治	涉及环境敏感区的	不涉及环境敏感区的	/	(一)、(二)和(三)中的重要湿地、富营养化水域
15. 废旧资源回收加工再生	废电子、电器产品、汽车拆解;废塑料	其他	/	
16. 房地产开发、宾馆、酒店、办公用房	建筑面积10万平方米以上;别墅区	建筑面积10万平方米~2万平方米	建筑面积2万平方米以下	

209

项目类别 \ 环评类别	报　告　书	报　告　表	登　记　表	本栏目环境敏感区含义
V　社会事业与服务业				
1. 学校、幼儿园、托儿所	在校师生1万人以上	在校师生1万人～2500人	在校师生2500人以下	
2. 医院	全部	/	/	
3. 专科防治所（站）	涉及环境敏感区的	不涉及环境敏感区的	/	(三)
4. 疾病控制中心	涉及环境敏感区的	不涉及环境敏感区的	/	(三)
5. 卫生站（所）、血站、急救中心等	/	全部	/	
6. 疗养院、福利院	/	全部	/	
7. 专业实验室	P3、P4生物安全实验室；转基因实验室	其他	/	
8. 研发基地	新建	其他	/	
9. 动物医院	/	全部	/	
10. 体育场	容纳5万人以上	容纳5万人以下	/	

项目类别＼环评类别	报　告　书	报　告　表	登　记　表	本栏目环境敏感区含义
11. 体育场	容纳 1 万人以上	容纳 1 万人以下	／	
12. 高尔夫球场、滑雪场、狩猎场、赛车场、跑马场、射击场、水上运动中心	高尔夫球场	其他	／	
13. 展览馆、博物馆、美术馆、影剧院、音乐厅、文化馆、图书馆、档案馆、纪念馆	／	占地面积 3 万平方米以上	其他	
14. 公园（含动物园、植物园、主题公园）	占地面积 10 万平方米以上	其他	／	
15. 旅游开发	缆车、索道建设；涉及环境敏感区的	其他	／	（一）、（三）和（二）中的基本草原、重要湿地、天然林
16. 影视基地建设	涉及环境敏感区的	不涉及环境敏感区的	／	（一）、（三）和（二）中基本草原、森林公园、地质公园、重要湿地、天然林、珍稀濒危野生动植物天然集中分布区
17. 影视拍摄、大型实景演出	／	涉及环境敏感区的	不涉及环境敏感区的	

211

项目类别\环评类别	报　告　书	报　告　表	登　记　表	本栏目环境敏感区含义
18. 胶片洗印厂	/	全部	/	
19. 批发市场	占地面积 1 万平方米以上的农畜产品、矿产品、化工产品、建材及汽车市场;占地面积 5 万平方米以上的其他批发市场	其他	/	
20. 零售市场	营业面积 5 万平方米以上	营业面积 5 万~5000 平方米	营业面积 5000 平方米以下	
21. 餐饮场所	/	6 个基准灶头以上,涉及环境敏感区的	其他	(三)
22. 娱乐场所	/	营业面积 1000 平方米以上	其他	
23. 洗浴场所	/	营业面积 1000 平方米以上	其他	
24. 一般社区服务设施	/	/	全部	
25. 驾驶员训练基地	/	全部	/	

项目类别＼环评类别	报 告 书	报 告 表	登 记 表	本栏目环境敏感区含义
26. 公交枢纽、大型停车场	/	车位2000个以上；涉及环境敏感区的	其他	(一)和(三)
27. 长途客运站	/	新建	其他	
28. 加油、加气站	/	涉及环境敏感区的	不涉及环境敏感区的	(一)和(三)
29. 洗车场	/	营业面积1000平方米以上；涉及环境敏感区的	其他	(一)、(三)和(二)中基本农田保护区
30. 汽车、摩托车维修场所	/	营业面积5000平方米以上；涉及环境敏感区的	其他	(一)、(三)和(二)中基本农田保护区
31. 殡仪馆	涉及环境敏感区的	不涉及环境敏感区的	/	
32. 陵园、公墓	/	涉及环境敏感区的	不涉及环境敏感区的	(一)、(三)和(二)中基本农田保护区
W 核与辐射				
1. 广播电台、差转台	中波50千瓦以上；短波100千瓦以上；涉及环境敏感区的	其他	/	(三)

环评类别 项目类别	报 告 书	报 告 表	登 记 表	本栏目环境敏感区含义
2. 电视塔台	100千瓦以上	其他	/	
3. 卫星地球上行站	一站多台	一站单台	/	
4. 雷达	多台雷达探测系统	单台雷达探测系统	/	
5. 无线通讯	一址多台；多址发射系统	一址单台	/	
6. 核动力厂（核电厂、核热电厂、核供气供热厂等），反应堆（研究堆、实验堆、临界装置等），铀矿开采、冶炼、核燃料生产、加工、贮存、后处理，高能加速器，放射性废物贮存、处理或处置，上述项目的退役	新建 扩建	改建（不增加源项），其他	不带放射性的实验室、试验装置	

214

项目类别 环评类别	报 告 书	报 告 表	登 记 表	本栏目环境敏感区含义
7. 铀矿地质勘探、退役治理	涉及环境敏感区的	不涉及环境敏感区的	/	(一)、(三)和(二)中的基本农田保护区、基本草原、森林公园、地质公园、重要湿地、珍稀濒危野生动植物天然集中分布区、天然林
8. 伴生放射性矿物资源的采选	年采1万吨以上；涉及环境敏感区的	其他	/	(一)、(三)和(二)中的基本草原、水土流失重点防治区、沙化土地封禁保护区
9. 伴生放射性矿物资源的冶炼加工	1000吨/年以上；涉及环境敏感区的	其他	/	(一)和(三)
10. 伴生放射性矿物资源的废渣处理、贮存和处置	涉及环境敏感区的	不涉及环境敏感区的	/	(一)和(三)
11. 伴生放射性矿物资源的废渣再利用	1000吨以上；涉及环境敏感区的	其他	/	(一)和(三)
12. 放射性物质运输	C型、B(U)型、B(M)型及含有易裂变材料或六氟化铀的货包运输；特殊安排下的运输	A型货包运输	其他	

215

项目类别 ＼ 环评类别	报 告 书	报 告 表	登 记 表	本栏目环境敏感区含义
13. 核技术应用	生产放射性同位素的（制备 PET 用放射性药物的除外）；使用的（医疗使用的除外）；销售 I 类放射源的；使用 I 类射线装置的（含建造）、使用 I 类射线装置的；销售、使用 II 类射线装置的；甲级非密封放射性物质工作场所	制备 PET 用放射性药物的；销售 I 类、II 类、III 类放射源的；销售非密封放射性物质的；医疗使用 II 类放射源的；使用 II 类、III 类放射源的；生产、销售、使用 II 类射线装置的；乙、丙级非密封放射性物质工作场所	销售、使用 IV 类、V 类放射源的；生产、销售、使用 III 类射线装置的	
14. 核技术应用项目退役	生产放射性同位素的（制备 PET 用放射性药物的除外）；甲级非密封放射性物质工作场所	制备 PET 用放射性药物的；乙、丙级非密封放射性物质工作场所；使用 I 类放射源、使用 I 类、II 类、III 类放射源的；使用 I 类、II 类射线装置的	/	

216

司 法 解 释

最高人民法院印发
《关于处理涉及汶川地震相关案件适用
法律问题的意见（一）》的通知

（2008 年 7 月 14 日　法发〔2008〕21 号）

各省、自治区、直辖市高级人民法院，解放军军事法院，新疆维吾尔自治区高级人民法院生产建设兵团分院：

　　为依法做好灾区审判和执行工作，保障灾区人民群众合法权益，最高人民法院制定了《关于处理涉及汶川地震相关案件适用法律问题的意见（一）》，现印发给你们，请结合审判实际，遵照执行。

　　各高级人民法院，特别是灾情比较严重地区的高级人民法院，要加强对有关案件审判、执行工作的调研，发现新情况、新问题的，应当及时报告最高人民法院。

最高人民法院
关于处理涉及汶川地震相关案件
适用法律问题的意见（一）

　　为依法做好灾区审判和执行工作，保障灾区人民群众合法权益，维护灾区社会稳定，为抗震救灾和灾后恢复重建提供有力的司法保障，最高人民法院分别于 5 月 27 日和 6 月 6 日发布了《最高人民法院关于依法做好抗震救灾期间审判工作切实维护灾区社会稳定的通知》（法〔2008〕152 号）和《最高人民法院关于依法做好抗震救灾恢复重建期间民事审判和执行工作的通知》（法〔2008〕164 号），上述两个《通知》对涉灾案件审判和执行工作的基本原则和一些具体法律适用问题作出了规定，各级人民法院要严格执行。根据灾后恢复重建的实际情况，为尽快恢复灾区正常

217

的经济、社会秩序，现对涉及四川汶川地震灾害相关案件适用法律的有关问题进一步提出以下意见：

一、对于涉及灾区群众人身、财产关系的婚姻家庭、继承、宣告死亡、宣告失踪等案件，人民法院要依法积极受理，尽快解决因地震造成相关人身和财产权利义务关系变化而带来的问题。

二、灾区群众安置地与原住所地、经常居住地不在同一行政区域的，对于异地安置以后发生的诉讼，可以将安置地视为当事人的居住地依法确定管辖。

三、农村承包地因地震灾害导致不能耕种、边界不明，当事人起诉要求进行调整、边界划定或重新确权的，人民法院应当告知当事人向有关政府行政主管部门申请解决。

四、案件承办法官因遇难或者其他原因无法履行职责的，人民法院可以根据《最高人民法院关于人民法院合议庭工作的若干规定》（法释〔2002〕25号）的程序更换办案人员继续审理。案件被移送或者被指定管辖的，由受移送或者被指定管辖的人民法院继续审理。

五、人民法院正在审理的刑事案件、民事案件、行政案件以及执行案件中，当事人死亡或失踪的，要依法分别处理。刑事案件被告人死亡的，终止审理。民事案件、行政案件和执行案件当事人死亡或者失踪的，裁定中止审理、执行，待灾区安置及恢复重建工作进行到一定阶段，经法定程序对涉案人身、财产关系明确后，人民法院依法决定是否恢复审理、执行，或者按撤诉处理、终结诉讼、终结执行，或者变更主体等。

六、当事人在诉讼中提交给法院的证据如系原件，在未经质证的情况下在地震中灭失，待证事实或者毁损灭失的证据内容又不能通过其他证明方法证明的，人民法院应当通过调解等办法妥善处理。

七、对民法通则第一百三十九条规定的"中止时效的原因消除"、民事诉讼法第七十六条规定的"障碍消除"、第一百三十六条规定的"中止诉讼的原因消除"以及第二百三十二条规定的"中止的情形消失"，《最高人民法院关于执行〈中华人民共和国行政诉讼法〉若干问题的解释》第五十一条规定的"中止诉讼的原因消除"之日的确定，要区别灾区不同情况，坚持从宽掌握的原则，结合个案具体情况具体分析。

人民法院在确定时可以考虑以下因素：1. 人民法院恢复正常工作的情况；2. 当地恢复重建进展的情况；3. 失踪当事人重新出现、财产代管人经依法确定、被有关部门确定死亡或被人民法院宣告死亡明确继承人的情况；4. 作为法人或其他组织的当事人恢复经营能力或者已经确立权利义务承受人的情况。

八、正在审理中的案件当事人在地震灾害中下落不明的，人民法院在核实当事人的身份、下落等有关情况后可以公告送达法律文书。

利害关系人申请宣告下落不明人失踪的，人民法院作出宣告失踪判决后，应当变更财产代管人为当事人，相关法律文书向财产代管人送达。

九、在诉讼过程中，因地震造成已查封、扣押的财产毁损、灭失的，应当参照最高人民法院《关于人民法院民事执行中查封、扣押、冻结财产的规定》第二十四条的规定处理；申请人提供其他财产线索申请查封、扣押的，可不再交纳申请费。

对于已评估过的财产，因地震造成毁损或价值贬损的，可以根据申请人的申请重新予以评估，评估费用按照《诉讼费用交纳办法》第十二条的规定确定。

十、申请执行人为非灾区企业或者公民，被执行人为灾区企业或者公民，财产无法确定或者确无财产可供执行的，应当中止执行；被执行人遭受灾害后有财产可供执行的，执行机构应尽力促成和解结案；申请执行人要求继续执行，但执行该财产将严重影响恢复重建工作顺利进行的，可以中止执行。中止执行的情形消失后，应当及时恢复执行。

灾区受灾企业或者公民申请强制执行，被执行人为非灾区企业或者公民的，人民法院应当加大执行力度，依法及时执行，以利于灾区企业和公民更好地恢复生产、重建家园。

最高人民法院　最高人民检察院
关于办理非法采供血液等刑事案件具体
应用法律若干问题的解释

(2008 年 2 月 18 日最高人民法院审判委员会第 1444 次会议、2008 年 5 月 8 日最高人民检察院第十一届检察委员会第 1 次会议通过　2008 年 9 月 22 日最高人民法院、最高人民检察院公告公布　自 2008 年 9 月 23 日起施行)

法释〔2008〕12 号

为保障公民的身体健康和生命安全，依法惩处非法采供血液等犯罪，根据刑法有关规定，现对办理此类刑事案件具体应用法律的若干问题解释如下：

第一条　对未经国家主管部门批准或者超过批准的业务范围，采集、供应血液或者制作、供应血液制品的，应认定为刑法第三百三十四条第一款规定的"非法采集、供应血液或者制作、供应血液制品"。

第二条　对非法采集、供应血液或者制作、供应血液制品,具有下列情形之一的,应认定为刑法第三百三十四条第一款规定的"不符合国家规定的标准,足以危害人体健康",处五年以下有期徒刑或者拘役,并处罚金:

(一)采集、供应的血液含有艾滋病病毒、乙型肝炎病毒、丙型肝炎病毒、梅毒螺旋体等病原微生物的;

(二)制作、供应的血液制品含有艾滋病病毒、乙型肝炎病毒、丙型肝炎病毒、梅毒螺旋体等病原微生物,或者将含有上述病原微生物的血液用于制作血液制品的;

(三)使用不符合国家规定的药品、诊断试剂、卫生器材,或者重复使用一次性采血器材采集血液,造成传染病传播危险的;

(四)违反规定对献血者、供血浆者超量、频繁采集血液、血浆,足以危害人体健康的;

(五)其他不符合国家有关采集、供应血液或者制作、供应血液制品的规定标准,足以危害人体健康的。

第三条　对非法采集、供应血液或者制作、供应血液制品,具有下列情形之一的,应认定为刑法第三百三十四条第一款规定的"对人体健康造成严重危害",处五年以上十年以下有期徒刑,并处罚金:

(一)造成献血者、供血浆者、受血者感染乙型肝炎病毒、丙型肝炎病毒、梅毒螺旋体或者其他经血液传播的病原微生物的;

(二)造成献血者、供血浆者、受血者重度贫血、造血功能障碍或者其他器官组织损伤导致功能障碍等身体严重危害的;

(三)对人体健康造成其他严重危害的。

第四条　对非法采集、供应血液或者制作、供应血液制品,具有下列情形之一的,应认定为刑法第三百三十四条第一款规定的"造成特别严重后果",处十年以上有期徒刑或者无期徒刑,并处罚金或者没收财产:

(一)因血液传播疾病导致人员死亡或者感染艾滋病病毒的;

(二)造成五人以上感染乙型肝炎病毒、丙型肝炎病毒、梅毒螺旋体或者其他经血液传播的病原微生物的;

(三)造成五人以上重度贫血、造血功能障碍或者其他器官组织损伤导致功能障碍等身体严重危害的;

(四)造成其他特别严重后果的。

第五条　对经国家主管部门批准采集、供应血液或者制作、供应血液制品的部门,具有下列情形之一的,应认定为刑法第三百三十四条第二款规定的"不依照规定进行检测或者违背其他操作规定":

（一）血站未用两个企业生产的试剂对艾滋病病毒抗体、乙型肝炎病毒表面抗原、丙型肝炎病毒抗体、梅毒抗体进行两次检测的；

（二）单采血浆站不依照规定对艾滋病病毒抗体、乙型肝炎病毒表面抗原、丙型肝炎病毒抗体、梅毒抗体进行检测的；

（三）血液制品生产企业在投料生产前未用主管部门批准和检定合格的试剂进行复检的；

（四）血站、单采血浆站和血液制品生产企业使用的诊断试剂没有生产单位名称、生产批准文号或者经检定不合格的；

（五）采供血机构在采集检验标本、采集血液和成分血分离时，使用没有生产单位名称、生产批准文号或者超过有效期的一次性注射器等采血器材的；

（六）不依照国家规定的标准和要求包装、储存、运输血液、原料血浆的；

（七）对国家规定检测项目结果呈阳性的血液未及时按照规定予以清除的；

（八）不具备相应资格的医务人员进行采血、检验操作的；

（九）对献血者、供血浆者超量、频繁采集血液、血浆的；

（十）采供血机构采集血液、血浆前，未对献血者或供血浆者进行身份识别，采集冒名顶替者、健康检查不合格者血液、血浆的；

（十一）血站擅自采集原料血浆，单采血浆站擅自采集临床用血或者向医疗机构供应原料血浆的；

（十二）重复使用一次性采血器材的；

（十三）其他不依照规定进行检测或者违背操作规定的。

第六条　对经国家主管部门批准采集、供应血液或者制作、供应血液制品的部门，不依照规定进行检测或者违背其他操作规定，具有下列情形之一的，应认定为刑法第三百三十四条第二款规定的"造成危害他人身体健康后果"，对单位判处罚金，并对其直接负责的主管人员和其他直接责任人员，处五年以下有期徒刑或者拘役：

（一）造成献血者、供血浆者、受血者感染艾滋病病毒、乙型肝炎病毒、丙型肝炎病毒、梅毒螺旋体或者其他经血液传播的病原微生物的；

（二）造成献血者、供血浆者、受血者重度贫血、造血功能障碍或者其他器官组织损伤导致功能障碍等身体严重危害的；

（三）造成其他危害他人身体健康后果的。

第七条　经国家主管部门批准的采供血机构和血液制品生产经营单位，应认定为刑法第三百三十四条第二款规定的"经国家主管部门批准采集、供应血液或者制作、供应血液制品的部门"。

第八条　本解释所称"血液"，是指全血、成分血和特殊血液成分。

221

本解释所称"血液制品",是指各种人血浆蛋白制品。

本解释所称"采供血机构",包括血液中心、中心血站、中心血库、脐带血造血干细胞库和国家卫生行政主管部门根据医学发展需要批准、设置的其他类型血库、单采血浆站。

附：

2008 年 9 月份报国务院备案的地方性
法规和地方政府规章目录

地方性法规

山西省

山西省预防职务犯罪工作条例
　　(2008 年 7 月 31 日)
山西省实施《中华人民共和国国防教
　　育法》办法
　　(2008 年 7 月 31 日)
大同市城市房地产交易管理条例
　　(2008 年 7 月 31 日)
大同市养犬管理规定
　　(2008 年 7 月 31 日)

辽 宁 省

本溪满族自治县铁矿资源保护条例
　　(2008 年 8 月 20 日)

上 海 市

上海市保护电力设施和维护用电秩序
　　规定
　　(2008 年 8 月 21 日)
上海市人大常委会关于修改《上海市
　　人民代表大会常务委员会议事规
　　则》的决定
　　(2008 年 8 月 21 日)

浙 江 省

浙江省城市市容和环境卫生管理条例

　　(2008 年 8 月 1 日)
杭州市人大常委会关于修改《杭州市
　　水上交通事故处理条例》的决定
　　(2008 年 8 月 25 日)
杭州市人大常委会关于修改《杭州市
　　水上交通管理条例》的决定
　　(2008 年 8 月 25 日)
杭州市人大常委会关于修改《杭州市
　　法律援助条例》的决定
　　(2008 年 8 月 25 日)

安 徽 省

安徽省全民健身条例
　　(2008 年 8 月 22 日)
安徽省涉案财产价格鉴定条例(修订)
　　(2008 年 8 月 22 日)
安徽省蚕种管理条例(修订)
　　(2008 年 8 月 22 日)

江 西 省

江西省水上治安管理条例
　　(2008 年 8 月 1 日)
江西省实施《中华人民共和国各级人
　　民代表大会常务委员会监督法》办
　　法
　　(2008 年 8 月 1 日)
江西省中小企业促进条例
　　(2008 年 8 月 1 日)

江西省公路路政管理条例

（2008 年 8 月 1 日）

南昌市国民经济和社会发展计划审查监督条例

（2008 年 8 月 13 日）

南昌市工业园区环境保护管理条例

（2008 年 8 月 13 日）

湖 北 省

湖北省实施《中华人民共和国道路交通安全法》办法

（2008 年 7 月 25 日）

广 东 省

珠海市旅游条例

（2008 年 6 月 27 日）

重 庆 市

重庆市人大常委会关于修改《重庆市液化石油气经营管理条例》的决定

（2008 年 7 月 25 日）

宁夏回族自治区

银川市人大常委会关于修订《银川市物业管理条例》的决定

（2008 年 7 月 30 日）

地方政府规章

天 津 市

天津市土地开发整理管理规定

（2008 年 8 月 5 日）

天津市农村五保供养工作办法

（2008 年 8 月 5 日）

河 北 省

河北省无障碍设施建设使用管理规定

（2008 年 8 月 11 日）

河北省集体建设用地使用权流转管理办法（试行）

（2008 年 9 月 2 日）

石家庄市市区国有土地储备办法

（2008 年 8 月 15 日）

邯郸市建设工程抗震设防要求管理办法

（2008 年 8 月 10 日）

山 西 省

山西省竞技体育人才培养和退役安置办法

（2008 年 7 月 14 日）

太原市广播电视设施建设和管理办法

（2008 年 8 月 15 日）

太原市爱国卫生管理办法

（2008 年 8 月 15 日）

内蒙古自治区

呼和浩特市新建住宅物业共用部位、共用设施设备保修金管理办法

（2008 年 8 月 12 日）

辽 宁 省

抚顺市人民政府关于修改《抚顺市城市管理相对集中行政处罚权暂行办法》的决定

（2008 年 8 月 5 日）

本溪市城镇职工生育保险办法

（2008 年 9 月 11 日）

吉 林 省

《长春市城市房屋安全管理条例》实施细则

（2008 年 2 月 29 日）

224

长春市居住证暂行规定

（2008 年 7 月 28 日）

黑龙江省

哈尔滨市财政投资评审管理规定

（2008 年 8 月 10 日）

哈尔滨市拍卖监督管理办法

（2008 年 8 月 26 日）

江 苏 省

无锡市房屋租赁管理办法

（2008 年 8 月 18 日）

徐州市餐饮服务业环境管理办法

（2008 年 8 月 5 日）

苏州市企业知名字号认定和保护办法

（2008 年 8 月 21 日）

浙 江 省

杭州市人民政府关于修改《杭州市船
舶防涌潮防洪防台安全管理规定》
部分条款的决定

（2008 年 9 月 5 日）

安 徽 省

淮南市规范性文件异议审查办法

（2008 年 8 月 4 日）

福 建 省

厦门市人民政府制定规章和拟定法规
草案的程序规定

（2008 年 9 月 3 日）

江 西 省

江西省县级以上人民政府重大行政决
策程序规定

（2008 年 8 月 20 日）

江西省重大建设项目稽察办法

（2008 年 8 月 20 日）

山 东 省

泰山风景名胜区服务项目经营管理办
法

（2008 年 7 月 30 日）

青岛市廉租住房保障办法

（2008 年 8 月 4 日）

青岛市限价商品住房管理办法

（2008 年 8 月 4 日）

青岛市经济适用住房管理办法

（2008 年 8 月 4 日）

河 南 省

河南省发展应用新型墙体材料管理办
法

（2008 年 8 月 20 日）

广 东 省

广东省著名商标认定和管理规定

（2008 年 7 月 23 日）

深圳市居民最低生活保障办法

（2008 年 8 月 25 日）

汕头市城市污水处理费征收管理办法

（2008 年 8 月 13 日）

汕头市信息化建设规定

（2008 年 8 月 13 日）

广 西 壮 族 自 治 区

广西壮族自治区重要矿产品运输管理
办法

（2008 年 9 月 8 日）

广西壮族自治区海域使用管理办法

（2008 年 9 月 8 日）

南宁市会展业管理办法

（2008 年 8 月 11 日）

四川省

四川省多种形式消防队伍建设管理规
定

(2008 年 8 月 20 日)

四川省人民政府关于废止部分规章的
决定

(2008 年 8 月 22 日)

重 庆 市

重庆市行政执法基本规范(试行)

(2008 年 7 月 22 日)

云 南 省

云南省人民政府关于废止部分规章的
决定

(2008 年 7 月 29 日)

云南省教学成果奖励办法

(2008 年 7 月 29 日)

西 藏 自 治 区

西藏自治区取水许可和水资源费征收
管理办法

(2008 年 8 月 20 日)

甘 肃 省

甘肃省民用建筑节能管理规定

(2008 年 8 月 20 日)

新疆维吾尔自治区

新疆维吾尔自治区电力设施保护办法

(2008 年 7 月 17 日)

—

图书在版编目(CIP)数据

中华人民共和国新法规汇编. 2008 年. 第 10 辑/国务院法制办公室编. —北京:中国法制出版社,2008.10

ISBN 7 – 80083 – 910 – 9

Ⅰ. 中… Ⅱ. 国… Ⅲ. 法规–汇编–中国–2008 Ⅳ. D920.9

中国版本图书馆 CIP 数据核字(2008)第 096975 号

中华人民共和国新法规汇编

ZHONGHUA RENMIN GONGHEGUO XIN FAGUI HUIBIAN

(2008 年第 10 辑)

编者/国务院法制办公室

经销/新华书店

印刷/涿州市新华印刷有限公司

开本/850×1168 毫米 32　　　　　　　印张/7.25　字数/277 千

版次/2008 年 10 月第 1 版　　　　　　2008 年 10 月第 1 次印刷

中国法制出版社出版

书号 ISBN 7 – 80083 – 910 – 9　　　　　　　定价:12.00 元

北京市西城区西单横二条 2 号　邮政编码 100031　　　传真:66019932

网址:http://www.zgfzs.com　　　　　　编辑部电话:66026508

市场营销部电话:66012216　　　　　　　邮购部电话:66033288